Birgit Rabisch

Duplik Jonas 7

Birgit Rabisch, geb. 1953, studierte Soziologie und Germanistik und war viele Jahre als VHS-Dozentin tätig. Heute lebt sie als freie Schriftstellerin mit ihrer Familie in Hamburg.
Ihr erstes Jugendbuch »Duplik Jonas 7« wurde mit dem Umweltliteraturpreis NRW ausgezeichnet.
Informationen über die Autorin und ihre Bücher finden sich auch unter www.birgitrabisch.de.

Birgit Rabisch

Duplik Jonas 7

Roman

Ausführliche Informationen über unsere Autoren und Bücher
www.dtvjunior.de

Zu diesem Band gibt es ein Unterrichtsmodell unter www.dtv.de/lehrer zum kostenlosen Download.

Ungekürzte Ausgabe
19. Auflage 2015
1996 dtv Verlagsgesellschaft mbH & Co. KG, München

Umschlagkonzept: Balk & Brumshagen
Umschlaggestaltung: Jorge Schmidt und Tabea Dietrich
unter Verwendung eines Fotos von Jan Roeder
Satz: Garamond 11/13˙
Gesamtherstellung: CPI – Ebner & Spiegel, Ulm
Printed in Germany · ISBN 978-3-423-78081-0

Für *Arne* und *Sönke*,
meine einmaligen Söhne

Inhalt

»Wessen Fantasie heute nicht ausreicht,
oder wer heute aus Angst
seine Fantasie daran hindert,
sich das Fantastische angemessen vorzustellen,
der bleibt ein Träumer …
Wirkliches Sehen ist heute nur möglich
bei geschlossenen Augen,
und nur der ist heute Realist,
der Fantasie genug hat
sich das fantastische Morgen auszumalen.«

Günther Anders, »Hiroshima ist überall«

Der Hort

Eine Sensation! Unserem Kleeblatt wird als Erstem ein Neugekommener anvertraut!

Bisher sind ja alle Dupliks von den Frauen großgezogen worden. Aber mit uns wird eine neue Ära beginnen! Das hat jedenfalls Frau Dr. Hellmann gesagt.

Als sie uns vor einem halben Jahr auf das bevorstehende freudige Ereignis vorbereitete, waren wir sehr stolz, aber auch ein wenig ängstlich, ob wir dieser Aufgabe gewachsen sein würden.

Vor allem Tim hatte so seine Zweifel. Ob er in der Lage sein würde, dem Kind die Lehrsätze richtig zu erklären? Ob er für die Einhaltung der notwendigen Regeln sorgen könne? Mit einem Neugekommenen sei es ja sicherlich noch nicht so schwierig: füttern, wickeln, baden, trösten – das traue er sich nach genauer Anleitung ohne Weiteres zu. Aber wenn so ein Kind dann größer würde, ins Fragealter käme! Warum sind die Tomaten rot? Was ist hinter der Mauer? Warum kippt man um, wenn man zu dicht an die Mauer rangeht? Woher holen die Frauen die Neugekommenen? Also, er sei immer froh gewesen, wenn er diese Fragezeichen auf zwei Beinen an ihre Dadas verweisen konnte.

Frau Dr. Hellmann hat geschmunzelt. Sie könne seine Sorgen gut verstehen. Aber sie werde uns jederzeit mit Rat und Tat zur Seite stehen. Außerdem würden wir bis zur Ankunft des Neugekommenen einen Vorbereitungskurs bei ihr absolvieren, sodass wir für unsere Aufgabe, aus ihm einen anständigen Duplik zu machen, bestens präpariert wären.

Ich glaube noch heute, dass Tim seine Zweifel nur vorgeschoben hat. Wirkliche Angst hatte er wohl vor der zu erwartenden Beeinträchtigung seiner Bequemlichkeit. Er hockt am liebsten den ganzen Tag vorm TV oder vergnügt sich am playdeck. Er bestellt jede neue Disc, sobald sie im Angebot des Orders erscheint, und gibt sie erst zurück, wenn er den Spielverlauf in- und auswendig kennt. Nur Schach wird ihm nie langweilig. In immer neuen Partien misst er sich mit dem Chessmaster special. Außer Spielen hat Tim eigentlich keine Interessen. Die vorgeschriebenen drei Stunden Gesundheitstraining täglich absolviert er natürlich, aber freiwillig treibt er keinen Sport. Nicht mal Fußball!

Auch ist er der Einzige in unserem Kleeblatt, der grundsätzlich Fertigmahlzeiten ordert, wenn sein Hausarbeitstag ist. Jan, Martin und ich dagegen kochen gern und ordern meistens Rohstoffe.

Martin ist unsere Sportskanone. Er ist Stürmer bei Fair Play und eine kleine Berühmtheit im Hort. Nahezu alle 1043 Dupliks kennen ihn und er hat sogar richtige Fans, die mich schonmal auf dem Weg ansprechen: »Hallo, Jonas, lebst du nicht mit Martin in einem Kleeblatt? Das ist wirklich ein Klassefußballer! Seit er Stürmer bei Fair Play ist, haben die alle Chancen, Hortmeister zu werden. Grüß ihn von Helmut 39!«

Jan ist ein sehr ruhiger Duplik. Er sitzt gern bei Kerzenschein und träumt vor sich hin. Er strickt unermüdlich, sodass wir schon nicht mehr wissen, wohin mit all den Pullovern, Mützen und Schals. Jetzt ist er natürlich glücklich, eine neue Aufgabe zu haben. In kürzester Zeit hat er für den Neugekommenen Strampelhosen, Ausgehjäckchen, winzige Fäustlinge und Söckchen gefertigt.

Jan ist schon seit zwei Jahren Kursleiter für autogenes Training und Meditation. Mit ihm führe ich oft lange Gespräche, die sich nicht nur um Alltägliches drehen. Wir philosophieren gern über die uralten Fragen des Duplikdaseins. Woher die Dupliks kommen und wohin sie gehen. Warum die Dupliks im Hort leben und die Frauen draußen. Und was wohl hinter der Mauer ist. Auf jeden Fall ein ganz anderer Hort, etwas, das sich ein Duplik gar nicht vorstellen kann. Und keine Nachricht von dort dringt zu uns.

Nur zweimal im Leben überschreitet ein Duplik die Mauer: wenn er von den Frauen als Neugekommener gebracht wird und wenn er nach seinem Tod durch die Endschleuse den Hort für immer verlässt.

Draußen ist die Welt, sagen die Frauen. Aber was das ist, erklären sie uns nicht. Ob dort nur Frauen leben? Oder auch Tiere, wie bei uns? Gibt es einen Himmel mit Mond und Sternen? Und woher kommen die Frauen? Ob sie auch sterben wie die Dupliks und die Tiere? Jan glaubt das, denn manchmal kommen Frauen nicht wieder, die uns jahrelang gehortet haben. Sie werden durch andere Frauen ersetzt. Außerdem altern die Frauen auch, das kann man eindeutig beobachten, sagt Jan. Und alles, was altert, stirbt auch.

Ich bezweifle das, denn man kann nicht einfach Erfahrungen aus unserem Leben auf die Frauen übertragen. Die Frauen sind ganz andere Lebewesen, das zeigt sich ja schon rein äußerlich. Obwohl noch niemand von uns eine Frau unbekleidet gesehen hat, steht zumindest so viel fest: Sie haben keinen Bart, ihre Stimmen sind höher und ihre Brust ist merkwürdig breit, was man selbst unter ihren weiten Kitteln sehen kann.

Jan betont gern die Gemeinsamkeiten: dass sie reden wie wir, essen wie wir, gehen wie wir. Aber was bedeutet das schon?

Es gibt so viel, was ich von den Frauen wissen möchte: Schlafen sie auch? Haben sie Kinder? Müssen sie auch aufs Klo? Was machen sie, wenn sie nicht horten? Wenn man sie nur fragen könnte!

Aber schon die erste Regel, die jeder junge Duplik in der Schule lernt, lautet: Frage nie eine Frau nach den Frauen! Natürlich haben es immer wieder einige vorwitzige Dupliks versucht, aber sie haben alle die gleiche Antwort erhalten: Darüber können wir keine Auskunft geben.

Ich muss zugeben, dass ich früher selbst zu diesen vorwitzigen Dupliks gehörte. Wie oft habe ich in meiner Schulzeit diese Antwort zu hören bekommen! Meine Lehrerin, Frau Dr. Jahnke, nannte mich »Jonas Neunmalklug«. Auch überkam mich oft die Unruhe und ich musste in die Klinik und Spritzen bekommen. Später haben sie mir häufig Entspannungstraining verordnet, weil die vielen Spritzen der Gesundheit schaden. Und Gesundheit ist unser allerhöchstes Gut. Aber das weiß ja wohl jeder. Jeden Tag drei Stunden Gesundheitstraining: Laufen, Gymnastik, Schwimmen, Kraftübungen; zweimal in der Woche in die Sauna; einmal Check-up in der Klinik. Das ist das Mindestprogramm. Aber die meisten tun freiwillig viel mehr. Sport und Spiel – das sind unsere Lebensinhalte.

Über etwas anderes kann man sich auch mit kaum einem Duplik unterhalten. Darum bin ich so froh über die Gespräche mit Jan. Er gehört zu den wenigen, die es nicht lassen können, sich

Fragen zu stellen. Aber ihn macht es nicht so unruhig wie mich, dass es auf all die vielen Fragen keine Antworten gibt. Seine Philosophie ist: Wir sind nur dumme, kleine Dupliks. Uns ist es zwar gegeben, Fragen zu stellen, aber nicht, Antworten zu bekommen.

Ich dagegen will es oft nicht einsehen, dass es keine Antworten geben soll. Die Frauen wissen die Antworten. Warum erlösen sie uns nicht von unseren Fragen?

Jan sagt: Eine Frage an eine Frau ist wie eine Frage an einen Baum.

Aber das ist falsch. Denn die Bäume können nicht antworten und die Frauen wollen nicht. Warum wollen sie es nur nicht? Sie tun doch sonst alles für uns. Sie sagen, das Wissen über ihre Welt würde unsere Gesundheit ruinieren. Ist denn ihre Welt ein so schrecklicher Hort? Und warum ruinieren sie dann nicht ihre eigene Gesundheit? Sind Frauen überhaupt jemals krank? Erkältet habe ich jedenfalls schon einige von ihnen erlebt. Und wenn einer von uns Grippe hat, schützen sie sich mit einem Mundschutz. Also können sie sich bei uns anstecken, oder?

Ach, könnte ich nur aufhören zu fragen. Vielleicht hat Frau Dr. Hellmann recht und die Beschäftigung mit dem Neugekommenen wird mich von meinen unsinnigen Zweifeln ablenken und mich ruhiger machen. Wenn es doch erst so weit wäre!

Der Neugekommene

Hannes ist da!

Den Tag seiner Ankunft werde ich nie vergessen. Es war wirklich sehr aufregend. Im Gemeinschaftsraum waren alle vierzig Dupliks unseres Hauses versammelt. Der Raum war festlich geschmückt, wie sonst nur bei den Siegerehrungen der verschiedenen Sportwettbewerbe.

Frau Dr. Hellmann hielt eine ergreifende Ansprache. Sie sagte, dass bisher die Frauen die Erziehung der kleinen Dupliks geleistet hätten, dass es jetzt aber an der Zeit für uns sei, diese Aufgabe selbst zu übernehmen. Sie sprach von der Ehre, die es für unser Kleeblatt sei, als Erstes einen Duplik erziehen zu dürfen, und dass sie voll Vertrauen und Zuversicht auf uns blicke, die wir wohl vorbereitet diese Aufgabe übernehmen würden.

Dann mussten Martin, Tim, Jan und ich aufs Podium kommen. Die Hausband spielte einen High-Emotion und eine Klinikerin brachte Hannes herein. Sie legte ihn in Martins Arme. Hannes schrie fürchterlich. Martin schaukelte ihn. Wir anderen drei standen hilflos herum. Frau Dr. Hellmann kam und gratulierte uns und danach gratulierten uns auch alle anderen Hausbewohner. Hannes schrie weiter, bis Frau Dr. Hellmann endlich die Zeremonie beendete und wir in unsere Wohnung zurückkehren konnten.

Jetzt konnte ich zeigen, wie gut ich im Vorbereitungskurs aufgepasst hatte. Ich stellte ein Fläschchen in den Feeder, tippte, ohne vorher auf der Tabelle nachschauen zu müssen, 4:100 ccm, 36 Grad ein und sah zu, wie der Feeder nach einer Ultrakurz-Sterilisation das Fläschchen füllte und mit dem Silikonschnuller verschloss.

Martin hatte inzwischen Hannes ein Lätzchen umgebunden und sich auf einem bequemen Sessel niedergelassen. Feierlich überbrachte ich das Fläschchen. Martin als der Älteste durfte die erste Fütterung übernehmen. Andächtig schauten wir anderen drei zu, wie Hannes gierig die Flasche bis auf den letzten Tropfen leerte. Wir klatschten begeistert Beifall, umarmten und beglückwünschten uns. Martin übergab mir Hannes, ich legte ihn an meine Schulter und klopfte sanft auf seinen Rücken, um ihn sein Bäuerchen machen zu lassen. Das kam prompt, aber mit ihm ergoss sich auch der ganze Inhalt des Fläschchens über meinen Rücken.

Dieser Moment markiert für mich in der Erinnerung das Ende der Feierlichkeiten und den Beginn des Alltags mit Hannes, der bis jetzt viel chaotischer verläuft, als ich es mir nach der Schulung vorgestellt habe. Hannes hält absolut nichts von festen Fütterungszeiten, spuckt mindestens die Hälfte seiner Mahlzeit regelmäßig wieder aus und muss dann ein zweites Fläschchen bekommen. Unsere Wäsche hat sich verdreifacht. Die ganze Wohnung riecht säuerlich und unser Hauptgesprächsthema ist: Hat er oder hat er nicht? Denn Hannes' Verdauung ist sehr unregelmäßig, und wenn er Blähungen hat, schreit er stundenlang.

Natürlich haben wir uns die Woche genau eingeteilt, sodass immer einer von uns ganz für Hannes da ist, während die anderen ihrem Gesundheitstraining, ihrer Hausarbeit oder ihren Hobbys nachgehen.

Theoretisch! Aber weder kann Jan meditieren noch Tim den Chessmaster special schlagen, wenn Hannes' Gebrüll durch die Wohnung schallt. Auch nachts wechseln wir uns ab, denn Hannes ist ein unruhiger Schläfer. Zwei- bis dreimal füttern und trösten pro Nacht ist die Regel. Na ja, aber das legt sich später, hat uns Frau Dr. Hellmann versichert. Wir haben sie bisher sehr selten um Rat gefragt, denn wir haben alle ein bisschen den Ehrgeiz, allein mit Hannes zurechtzukommen. Und das klappt auch.

Denn trotz allem ist Hannes ein liebes Kerlchen. Er hat fast noch keine Haare, hellblaue Augen, und wenn er so in meinem Arm liegt, wird mir immer ganz angenehm warm. Die Spazierfahrten mit ihm sind aber das reinste Spießrutenlaufen. Fast alle Dupliks, denen wir begegnen, wollen in seinen Wagen gucken und fragen, wie es denn so mit ihm läuft. Kleeblatt 26 soll auch bald einen Neugekommenen kriegen. 13 und 17 machen einen Vorbereitungskurs.

Manchmal fahre ich mit Hannes zum alten Kinderhaus, in dem ich aufgewachsen bin. In meiner Gruppe waren wir fünfzehn Kinder und drei Dadas. Die meisten Dadas waren sehr streng, aber an eine erinnere ich mich gern zurück: Dada Mirdal. Zu ihr ging ich, wenn die anderen Kinder mich gehauen hatten, wenn ich hingefallen war oder wenn ich einfach nur auf ihrem Schoß sitzen und gestreichelt werden wollte. Sie sprach wenig, aber sie schimpfte auch selten. Und als ich später anfing, ihr Löcher in den Bauch zu fragen, wurde sie nicht böse, sondern sagte nur ruhig: Darauf kann ich dir nicht antworten. Fast klang es ein wenig traurig.

Leider verließ sie das Kinderhaus, als ich zehn Jahre alt war. Sie arbeitet heute in der Klinik. Ich habe sie dort einmal beim wöchentlichen Check-up getroffen. Sie hat mich sogar wiedererkannt und gesagt: »Hallo, Jonas 7, schön, dass du immer noch gesund bist!« Und da war genau dieser traurige Klang in ihrer Stimme, an den ich mich seit meiner Kindheit erinnere.

Seit Hannes da ist, denke ich wieder öfter an meine eigene Kindheit und an Dada Mirdal. Ich möchte ihm ein guter Dada sein und ich glaube nicht, dass man dazu mit einem Kind so viel schimpfen muss, wie die anderen Dadas es mit uns getan haben. Am schlimmsten war es natürlich, wenn wir uns gegen unsere Gesundheit versündigten, etwa das Zähneputzen vergaßen oder es beim Training an Eifer fehlen ließen. Aber ich glaube, das ewige Schimpfen nützt gar nichts. Mit Liebe und Geduld erreicht man mehr. Das sagt auch Frau Dr. Hellmann. Sie meint, die neuesten Erkenntnisse der Duplikologie wiesen ebenfalls in diese Richtung. Sie könne mein Anliegen nur unterstützen, Hannes mit möglichst wenig Zwang aufwachsen zu lassen. Am wichtigsten sei unser Verhalten. Wenn wir ein vorbildliches Leben führten, würde er auf ganz natürliche Art und Weise die Regeln und Gesetze des Hortes befolgen lernen.

Ich glaube, unser Kleeblatt braucht sich da keine Sorgen zu machen. Selbst ein kleines Kind besitzt ja schon genug gesunden Duplikverstand, um zu begreifen, wie wichtig es ist, alles zur Erhaltung seiner Gesundheit zu tun.

Sehr früh werden wir Hannes auch vor der schlimmsten Krankheit warnen müssen: dem Fraß. Nun passiert es zum Glück äußerst selten, dass der Fraß Kinder befällt. Aber mit zunehmendem Alter wächst die Gefahr. Das Heimtückische am Fraß ist, dass der Betroffene von seiner Krankheit überhaupt nichts merkt. Aber die Klinik kann ihn bei den wöchentlichen Checkups erkennen und handelt sofort. Die Krankheit kann praktisch alle Körperteile und Organe befallen. Die fressen sich dann selbst auf, und wenn sie nicht rechtzeitig entfernt werden, greift der unheimliche Selbstverdauungsprozess auf den gesamten Körper über. Manchmal ist es allerdings zu spät und der Kranke kann nicht mehr gerettet werden. Manche überleben auch die Operation nicht. Viele können geheilt werden, bleiben aber von der Krankheit gezeichnet. Ihnen fehlt eine Niere, ein Bein musste amputiert werden, sie leben mit einer künstlichen Blase oder einem verkürzten Darm.

In Haus C lebt zum Beispiel der zweiundvierzigjährige Walter 6, dem vor zwei Jahren beide Beine amputiert wurden. Danach hat man ihm die Gehörorgane herausoperiert und seit einem Vierteljahr lebt er mit einem Kunstherzen. Er wird von den drei anderen seines Kleeblattes aufopfernd gepflegt, aber seine Chancen stehen schlecht. Bisher hat noch kein Duplik länger als zwei Jahre mit einem Kunstherzen überlebt.

Dass ausgerechnet er so schwer am Fraß erkrankt ist, hat mich erschüttert, denn er war geradezu verbissen um seine Gesundheit besorgt und ließ sich nie die geringste Nachlässigkeit zuschulden kommen.

Wenn einer von uns Jüngeren mal über Langeweile geklagt hat, pflegte er zu sagen: »Ihr wisst gar nicht, wie gut ihr es habt! Zu meiner Jugendzeit mussten wir laufen, springen, Kniebeugen und Liegestütze machen. Immer wieder dieselben Übungen. Und den Rest des Tages hatten wir nichts zu tun. Jeder wohnte allein in seinem Zimmer. Das Essen wurde geliefert. Wir langweilten uns buchstäblich zu Tode. Immer wieder drehten welche durch und mussten mit Spritzen beruhigt werden. Aber das ruinierte unsere Gesundheit und ließ uns immer unzufriedener werden.

Erst nachdem die damalige Leiterin des Hortes, Frau Dr. Bolt, von Frau Dr. Hellmann abgelöst wurde, brach eine neue Zeit an. Als Erstes durften wir unsere Häuser umgestalten. Aus den Einzelzimmern wurden Kleeblattwohnungen, in denen je vier Dupliks zusammenwohnten. Der große Garten, in dem wir heute unser Gemüse anbauen, wurde angelegt. Wir lernten alles über gesunde Ernährung, durften selbst unser Essen kochen. Frau Dr. Hellmann richtete die Hobbyschulen ein. Jeder konnte dort nach seinen Interessen Kurse besuchen: Malen, Töpfern, Musizieren, Blumenzucht, Tanzen. Wir stürzten uns damals auf diese Angebote wie Verdurstende. Heute sind ja die Kursleiter selbst Dupliks. Aber seit wir alle unser Playdeck zu Hause haben, hat das Interesse an diesen Kursen ziemlich nachgelassen. Ihr jungen Leute hockt ja fast nur noch vor dem Kasten! Hört bloß auf, euch über Langeweile zu beklagen. Ihr wisst gar nicht, was das ist. Wer sich hier langweilt, hat selber Schuld!«

Vielleicht hat er recht. Aber ich bin eben

manchmal trotzdem recht unzufrieden. Wenn ich ganz ehrlich sein soll, hat daran auch Hannes' Ankunft nichts geändert. Natürlich ist es schön, so ein kleines Wesen versorgen zu dürfen und es heranwachsen zu sehen. Dennoch geht mir die Frage nach dem Sinn meines Lebens nicht aus dem Kopf. Da strampelt man sich ab, nur um endlich möglichst gesund zu sterben? Jan sagt, seit Duplikgedenken fragten die Dupliks nach dem Sinn ihres Lebens. Dabei sei das Leben selbst der Sinn.

Das hört sich gut an. Aber trotzdem! Mir genügt es nicht. Ich will mehr. Aber *was* will ich eigentlich?

Der Fraß

Ich kann es nicht fassen!

Es ging alles so schnell. Vor zwei Wochen – ich beobachtete gerade Hannes' Versuche, sein Köpfchen von der Wickelunterlage hochzuheben – kam der Krankenwagen und holte mich ab.

Ich saß im Aufnahmebüro und die Ärztin telefonierte. Ich betrachtete das Bild über ihrem Kopf, es war eine Sonnenblume vor einer Mauer, und ich ahnte, dass etwas Furchtbares auf mich zukommen würde. Ich schaute wieder das Bild an, als könne es die Gefahr bannen, denn wie kann eine Gefahr drohen, wo es dieses zufrieden-satte Sonnenblumengelb gibt. Doch dann legte die Ärztin den Hörer auf und blickte mich an.

»Du hast den Fraß! Er sitzt in deinen Augen!«

Ich wollte protestieren. Vor zwei Tagen war ich doch erst beim Check-up gewesen und alles war in Ordnung. Aber meine Stimme versagte. Ich senkte den Kopf.

»Es ist noch nicht zu spät. Wir können dein Leben retten. Aber deine Augen wirst du verlieren. Wir müssen den Fraß mit Stumpf und Stiel ausrotten. Und wir müssen schnell handeln. Das Operationsteam ist bereit.«

Mir wurde schwarz vor Augen. Als ich wieder zu mir kam, lag ich auf einer Trage und wurde in den Operationssaal gerollt. In meinem Gehirn hämmerte es immer wieder: »Das ist das Letzte, was du siehst.«

Meine Augen starrten auf alles, als könnten sie es in sich hineinsaugen, als könnten sie Bilder sammeln, in den wenigen verbleibenden Minuten noch einen Vorrat anlegen. Weiße Kacheln, das grelle Licht, ein Infusionsgerät, vermummte Ärztinnen – und plötzlich diese Augen über mir. Dada Mirdal! Obwohl der Mundschutz ihr halbes Gesicht verdeckte, erkannte ich sie sofort.

Das traurige Lächeln ihrer Augen. Es war das Letzte, was ich in meinem Leben sah.

Jetzt liege ich in einem Klinikbett. Ein Verband bedeckt meine Augen – oder besser gesagt den Platz, an dem einmal meine Augen waren. Sie werden mir eine Augenplastik einsetzen, haben sie gesagt. Damit ich nicht so abschreckend aussehe. Aber sehen – sehen werde ich nie wieder können.

Ich bin blind. Ich liege im Bett und sage mir immer wieder diese Worte: Ich bin blind. Blind. Blind.

Aber es will mir nicht in den Kopf. Mich umgibt totale Finsternis. Aber immer noch denke ich: Gleich schlägst du die Augen auf und guckst dich um. Siehst dir deinen Bettnachbarn an, mit dem du schon gesprochen hast, den du nachts schnarchen hörst und am Tage sich räuspern, mit Papier rascheln, hin und her laufen.

Er heißt Heinz 39, ist vierundvierzig Jahre alt. Ihm haben sie die Bauchspeicheldrüse entfernt. Er erzählt viel von sich. Ich höre zu, aber ich habe das Gefühl, ihn überhaupt nicht ken nenzulernen. Er bleibt ja unsichtbar. Er ist ein Phantom. Wie alle anderen auch. Was ist das für ein Geisterhort, den ich nur hören, fühlen und riechen kann? Das ist ein fremder Hort und ich selbst bin mir auch fremd. Ich war ein Sehender. Jetzt bin ich ein Blinder. Ich bin nicht mehr ich. Wir Dupliks sind doch auf unsere

Augen angewiesen. Was bin ich ohne Augen denn noch?

Versinke nicht in Selbstmitleid. Sei froh, dass du den Fraß überlebt hast, sagt mein Bettnachbar.

Wir werden deine Augen sein, wenn du wieder zu Hause bist, sagt Tim.

Ich stelle ein Spezial-Gesundheitsprogramm für dich zusammen, sagt Frau Dr. Hellmann.

Ich werde dir vorlesen, sagt Jan.

Bei Blinden schärfen sich die anderen Sinne, sagt Martin. Ich weiß, sie meinen es alle gut mit mir, aber ihre Worte trösten mich nicht. Sie bestätigen mir nur, was ich nicht glauben kann: Die Finsternis wird bleiben.

Mein einziger Trost kommt merkwürdigerweise von Dada Mirdal. Sie arbeitet auf meiner Station. Ob sie meinen Verband wechselt, das Essen bringt oder Fieber misst, ich unterscheide sie schon am Gang von den anderen Klinikerinnen. Und wenn ich ihre Stimme höre, sehe ich ihr Gesicht vor mir, wie ich es zuletzt sah. Und dieses Bild weckt eine Sehnsucht in mir. Ich weiß nicht, wonach.

Ich weiß nur, ich möchte weinen. Auch das kann ich nicht mehr.

Die Schwester

Als Jonas Helcken aus der Narkose aufwacht, ist seine Schwester Ilka bei ihm. Er betastet immer wieder den Verband um seine Augen.

»Hast du Schmerzen?«

»Es geht. Was ist mit meinen Augen?«

»Du bist operiert worden.«

»Das weiß ich. Haben sie meine Augen wieder hingekriegt? Werde ich wieder sehen können?«

»Ja, Jonas.«

Jonas sinkt von Neuem in die Tiefe des Narkoseschlafes. In seinen Träumen hört er das Krachen von Blech und das Splittern von Glas. Er sieht Lichter auf sich zukommen und sich in seine Augen bohren. Der bohrende Schmerz verstärkt sich, je mehr sein Bewusstsein zurückkehrt. Er versucht sich zu erinnern, was geschehen ist. Er ist auf dem Highway lange Zeit hinter einem roten Saturn hergefahren. Dessen Fahrer muss plötzlich aus der Radarleitung geraten sein. Der Saturn kam ins Schleudern, stand quer zur Fahrbahn. Jonas bremste und schrie.

Aber er schaffte es nicht, sein Auto rechtzeitig zum Stehen zu bringen. Er hörte das Scheppern des aufeinanderprallenden Blechs und fast gleichzeitig raubte ihm der Schmerz das Bewusstsein.

Seine Augen hat es also erwischt. Aber Ilka hat gesagt, er wird wieder sehen können. Darauf kann er sich verlassen. Notlügen, um jemanden zu schonen, würde Ilka niemals gebrauchen. Im Gegenteil – sie sagt jedermann die Wahrheit (oder was sie dafür hält) so direkt ins Gesicht, dass viele sie für schroff und hartherzig halten. Ihre Weigerung, sich auf irgendwelche Kompromisse einzulassen, machte auch ihm den Umgang mit seiner Schwester nicht immer leicht.

Diese Schmerzen! Wie Messerstiche!

Jonas stöhnt und fasst wieder an den Verband.

»Und du bist sicher ... ich meine ... hast du mit den Ärzten gesprochen?«

»Du kannst völlig beruhigt sein. Du *wirst* wieder sehen können! Die Operation ist gut verlaufen.«

»Glück im Unglück, was? Wenn ich mir vorstelle ... diese Dunkelheit ... für immer ... nein, das kann kein Mensch ertragen.«

»Es gibt viele Blinde auf der Welt.«

Jonas streckt die Hand aus dem Bett und spürt Ilkas warmen Händedruck.

»Weiß Vater von meinem Unfall?«

»Ja, er war schon hier, als du noch operiert worden bist.«

»Und du?«

»Er hat mich anrufen lassen. Und dann sind wir uns hier auf dem Klinikflur begegnet.«

»Wozu so ein Unfall doch gut ist.«

»Ich sehe, dein Humor kehrt zurück. Gutes Zeichen. Aber wenn du dir eine ergreifende Wiedersehensszene ausmalen solltest, liegst du völlig schief. Er hat meine Anwesenheit kaum beachtet.«

»Vielleicht würdet ihr euch an meinem Grab versöhnen.«

»Bitte keine Anstrengungen in diese Richtung! Das wäre wirklich vergebliche Liebesmüh.«

»Dickköpfe!«

Jonas lässt Ilkas Hand los. Er fällt in einen Halbschlaf und sieht Ilka als kleines Mädchen im weißen Kleid auf Vaters Armen. Vater dreht sie im Kreis herum. Ilka juchzt und Vater strahlt.

Als sein Bewusstsein zurückkehrt, versucht er dieses Bild festzuhalten. Hat es das wirklich gegeben? Kann Ilka sich an eine Zeit erinnern, als sie noch Vaters liebes Mädchen war?

»Ilka?«, fragt Jonas leise, doch er erhält keine Antwort. Sie scheint das Zimmer verlassen zu haben.

Das kann keine Erinnerung gewesen sein. Schließlich ist Ilka fünf Jahre älter als er. Wahrscheinlich eine Fata Morgana, die ihm seine Harmoniesucht vorgespielt hat. Warum musste es auch zu diesem Bruch zwischen Vater und ihr kommen!

Er weiß natürlich, warum. Er hat ja alles miterlebt: wie Ilka Vegetarierin wurde und ihren

Vater als Mörder beschimpfte, wenn er genüsslich sein Steak aß; wie sie sich den militanten Lebensschützern anschloss und Kaninchen aus den Labors der Pharmaindustrie befreite. Und dann die Krönung: die Panik in Vaters Gesicht, als er von Ilkas Entführung hörte. Er war bereit, alles herzugeben, was er besaß, und er besaß viel. Er war verzweifelt, wartete auf eine Nachricht von den Entführern. Und dann kam der Brief. Jonas sah, wie sein Vater beim Lesen grau im Gesicht wurde. Er überreichte Jonas den Brief, ohne ein Wort zu sagen, und ging hinaus in den Garten. Jonas las: »Wenn Sie Ihre Tochter lebend wiedersehen wollen, sorgen Sie dafür, dass ab sofort in allen Helckens-Filialen kein Fleisch mehr verkauft wird.«

Auch Jonas war sofort klar: Das Ganze konnte sich nur Ilka ausgedacht haben. Und so war es. Den »Entführerbrief« hatte sie auch noch an die Medien geschickt, um mehr Druck auf ihren Vater auszuüben. Der ging in die Offensive, ließ über TV verbreiten, dass er seiner Tochter wünsche, man würde sie zu Hackfleisch verarbeiten. Seitdem war Funkstille zwischen Vater und Tochter.

Jonas hatte vergeblich versucht, bei seinem Vater Verständnis für Ilkas Verhalten zu wecken. Und bei Ilka rief sein Vorwurf, sie könne so nicht auf den Gefühlen ihres Vaters herumtrampeln, nur Kopfschütteln hervor. Sie bestritt schlichtweg, dass ihr Vater überhaupt zu irgendwelchen Gefühlen fähig sei.

Jonas hat nie begriffen, wo die Wurzel für diese Haltung Ilkas liegt. Irgendeine tief sitzende Kränkung musste sie erfahren haben, anders kann er es sich nicht erklären. Allein die Tatsache, dass Vater so wenig Zeit für sie gehabt hat, kann es wohl nicht sein. Damit hat er selbst schließlich auch fertigwerden müssen.

Jonas hört ein Geräusch neben seinem Bett.

»Ilka, bist du da?«

»Ich hab mir eben nur was zu trinken geholt. Möchtest du auch was?«

»O ja, bitte! Ich hab 'nen höllischen Durst.«

Ilka gibt ihrem Bruder ein Glas Mineralwasser in die Hand. Er führt es vorsichtig zum Mund.

»Das tut gut!«

»Trink, Brüderlein, trink! Umso schneller wird dein Körper das Narkosemittel wieder los.«

»Sag mal, kann dein konservatives Kampfblättchen denn den ganzen Tag ohne seine Chefredakteurin auskommen?«

»Das lass mal meine Sorge sein. Außerdem hab ich, als du noch geschlafen hast, Notizen zu einem Artikel gemacht.«

Jonas lacht. »Immer im Dienst für die gute Sache. Worüber sollen sich die Lebensschützer denn diesmal ereifern?«

»Über die Tierversuche. Ich hab da brandheiße . . .«

»Ach, komm! Das lockt doch keinen Hund mehr hinterm Ofen vor! Die Diskussion ist doch längst gelaufen!«

»Nein! Es gibt viele Menschen, die sich damit niemals abfinden werden. Und ich werde versuchen, auch das träge Gewissen der anderen wachzurütteln.«

»Dann rüttel mal schön. Gießt du mir noch was ein, bitte?«

Jonas ist zwar nicht – wie sein Vater – Mitglied der European Progress Party, aber Ilkas missionarischen Eifer für die Lebensrechte kann er auch nur belächeln. Natürlich will er nicht, dass Tiere gequält werden. Aber als angehender Mediziner weiß er auch, dass nun mal nicht alle Tierversuche durch Computersimulation ersetzt werden können. Und die Gesunderhaltung eines Menschen hat ja wohl noch Vorrang vor dem Lebensrecht einer Ratte. Auch auf sein Steak wird er nicht verzichten. Schließlich hat der Mensch schon seit Urzeiten Tiere gejagt und verzehrt.

»Wie lange es wohl dauern wird, bis ich wieder sehen kann? Ich muss mich doch auf die erste vorklinische Prüfung vorbereiten.«

»Du hast vielleicht Sorgen! Werd erst mal gesund! Die kannst du doch nachholen. Noch ’nen Schluck?«

»Nein danke, das reicht. Sag mal, was ist eigentlich mit dem Fahrer des Saturns passiert?«

»Der liegt mit ’ner Gehirnerschütterung im Krankenhaus. Aber sonst ist er okay.«

»Weiß man schon, wie das passieren konnte, dass er . . .?«

»Keine Ahnung. Das wird die gerichtliche Untersuchung ergeben. Du hast jedenfalls keine Schuld. So, Jonas, ich glaub, ich verabschiede mich mal langsam. Schätze, dein werter Erzeuger wird bald hier aufkreuzen, und ein Treffen mit ihm reicht mir.«

»Ilka, warum hasst du den Alten bloß so? Man kann doch ganz verschiedene politische Ansichten haben und muss sich trotzdem nicht so . . . Ich versteh das nicht.«

»Musst du auch nicht verstehen, Brüderchen. Und jetzt schlaf schön deinen Rausch aus. Morgen komme ich wieder, okay?«

Jonas spürt kaum ihre Lippen an seiner Wange, als sie sich verabschiedet. Er hört das Surren der automatischen Tür und ist wieder allein mit der Stille und der Dunkelheit.

Der Blinde

Werde ich mich jemals an meine Blindheit gewöhnen?

Wie befreiend war es früher, wenn die Morgendämmerung die Albträume der Nacht verscheuchen konnte. Jetzt schweben sie weiter durch meine dunklen Tage.

Ich gehe immer noch sehr unsicher. Wie oft habe ich mich gestoßen! Aber ich muss lernen mich wenigstens in der Wohnung frei zu bewegen. Die anderen achten streng darauf, dass alles am gewohnten Platz steht, nichts herumliegt. Trotzdem – gut, dass ich meine blauen Flecke nicht sehen muss.

Vom Betreuungsdienst für Hannes bin ich befreit. Aber ich lasse ihn mir gern in die Arme legen. Ich schaukele ihn, sage ihm Zärtliches, betaste seine kleinen Hände. Wie kommt es eigentlich, dass so ein kleiner Körper viel mehr Wärme abzugeben scheint als der eines Erwachsenen?

Vielleicht bilde ich es mir ja ein, aber ich glaube, Tim befürchtet, ich könnte Hannes anstecken. Dabei versichern die Frauen immer wieder, dass der Fraß nicht ansteckend ist. Doch dieses Vorurteil scheint unter den Dupliks unausrottbar zu sein. Ewig fragt Tim mich, ob ich mir denn auch die Hände gewaschen habe, wenn ich Hannes anfassen will! Überhaupt spielt er sich als der Allwissende auf, bei allem, was Hannes angeht. Er spielt mit ihm, auch wenn er Freizeit hat; er meckert mit Martin rum, dass er Hannes falsch trägt; er steht nachts auf, auch wenn Jan dran ist. Mich wundert, dass Martin und Jan sich das gefallen lassen. Aber vielleicht sind sie auch froh, dass Tim ihnen einen Teil der Arbeit mit Hannes abnimmt – jetzt, wo ich ausfalle. Erstaunlich, gerade von Tim hatte ich am wenigsten erwartet, dass ihm Hannes einmal so viel bedeuten würde. Noch während der Vorbereitungszeit quälten ihn doch tausend Bedenken! Und jetzt geht er völlig in der Sorge für Hannes auf. Sogar sein Playdeck verwaist!

Mich lässt bisher keiner spüren, dass ich nicht mehr meinen vollen Anteil an der Gemeinschaftsarbeit leisten kann. Im Gegenteil! Sie sind so fürsorglich, dass es mir schon wieder unangenehm ist.

Am liebsten bin ich im Moment allein in meinem Zimmer, unseren Kater Pidder auf dem Schoß. Seit ich blind bin, kommt er häufiger zu mir. Als wenn er ahnen würde, dass mir sein ruhiges Dasein Trost spendet. Manchmal höre ich Musik, doch oft sitze ich einfach nur so da und denke. Und je mehr ich denke, umso weniger verstehe ich.

Gibt es denn wirklich kein Mittel gegen den Fraß?

Warum kann ein Duplik nicht zur Ärztin ausgebildet werden?

Warum dürfen wir so vieles nicht wissen?

Immer mehr Fantasien über das Leben außerhalb des Hortes beschleichen mich: Die Frauen – wie leben sie dort? Wer sind sie überhaupt? Unsere Beschützerinnen? Unsere Begrenzerinnen? Sind wir wirklich so dumm, dass sie uns nicht erklären können, warum wir den Hort nicht verlassen dürfen? Welche Gefahren drohen uns draußen? Wenn sie tatsächlich so groß sind, werden wir ja den Hort auch gar nicht verlassen wollen. Was verbergen die Frauen vor uns? Seit meinen Augen die Bilder fehlen, werde ich immer fragender. Und zweifelnder. Und unruhiger.

Jan versucht mich mit seinen alten Antworten abzuspeisen. Dass ein Duplik in der Welt der Frauen zugrunde gehen würde wie ein Fisch auf dem Trockenen. Oder eine Katze im Aquarium. Jedes Lebewesen braucht eben seine artspezifische Umgebung. Die Frauen täten schließlich alles für uns. Wenn sie mir nicht den Fraß wegoperiert hätten, wäre ich jetzt tot.

Das stimmt ja alles. Aber irgendetwas stimmt auch nicht. Ich weiß nur nicht, was. Vielleicht – dass ich nicht zugrunde gehen *darf*. Dass ich mich nicht entscheiden kann, die Welt kennenzulernen, selbst um den Preis meines Lebens nicht. Ich darf mich nur entscheiden, ob ich Würstchen oder Paella essen will, ob ich häkeln oder meditieren will. Aber mit dem Gesundheitstraining aufhören? Oder allein leben? Da hört es schon auf.

Ich verstehe dich nicht, sagt Jan. Das sind doch Grundgegebenheiten unserer Existenz. Die kann man nicht einfach infrage stellen. Außerdem ist es völlig schwachsinnig, etwas Selbstzerstörerisches wollen zu dürfen.

Dann bin ich wohl schwachsinnig. Ich will auch Fehler machen dürfen. Das sind wenigstens *meine* Fehler. So habe ich das Gefühl, dass mein Leben gar nicht mir gehört, sondern den Frauen, die alles bestimmen und regeln. Manchmal hasse ich sie.

Nur von Dada Mirdal träume ich oft. Ich sehe ihr Gesicht vor mir. Ihr trauriges Lächeln. Aber auch sie würde mir nicht antworten. Sie ist eben eine Frau, auch wenn sie meine Dada war.

Der Todesautomat

Jonas wartet am Nachmittag vergeblich auf seinen Vater. Der lässt durch seinen Kundenbetreuer, Herrn Schulz, einen Blumenstrauß vorbeibringen, schöne Grüße ausrichten und sich entschuldigen. Welthandelskonferenz in Paris.

In zwei Tagen kommt er zurück. Professor Reimann hält ihn über Jonas' Genesung auf dem Laufenden. Wenn er irgendwelche Wünsche hat ... Herr Schulz steht ihm zur Verfügung. Fürs Erste bringt er einen Rekorder mit.

Jonas bedankt sich bei Herrn Schulz und schickt ihn wieder weg. Er braucht nichts, was Herr Schulz ihm beschaffen könnte. Die stechenden Schmerzen haben nachgelassen. Jetzt braucht er nur noch eins: Licht!

Am nächsten Tag besucht Ilka ihn wieder. Er freut sich über ihren Besuch. Aber dann liest sie ihm einen Artikel über die Duplikhaltung vor, der morgen in ihrer Zeitung erscheinen soll. Mit einem erwartungsvollen »Hmm?« beendet sie ihren Vortrag.

»Willst du meine ehrliche Meinung hören?«

»Was sonst?«

»Also gut. Pathetisch, oberflächlich, unrealistisch. Ich weiß nicht, was an der Duplikhaltung unmenschlich sein soll, jedenfalls bei uns in den fortschrittlichen, strukturalistischen Gesellschaften. Dass es da in einigen Staaten Missstände gibt – nun gut, die haben einfach nicht unseren wirtschaftlichen und ethischen Standard. Aber das liegt ja nicht in unserer Verantwortung.«

»Du wirst in deinen Argumenten Vater immer ähnlicher!«

Das sitzt! Das ist die härteste Kritik, die Ilka

an jemandem üben kann. Aber warum ist das nur so? Warum ist Vater für sie der Inbegriff des Verabscheuungswürdigen? Immer, wenn Jonas sie danach fragt, gibt sie ausweichende Antworten, beruft sich auf Vaters »unmögliche« politische Ansichten. Trotzdem versucht Jonas es noch einmal.

»Ilka, warum hasst du Vater so?«

»Weil er ein Idiot ist. Komm, lass uns das Thema nicht wieder aufrollen.«

»Aber irgendetwas muss zwischen euch vorgefallen sein. Schon früher. Hat es ... hat es vielleicht mit Mutters Tod zu tun?«

»Ich weiß nicht, warum wir jetzt darüber reden müssen. Außerdem – du hast dich ja für dein Recht auf Nichtwissen entschieden.«

»Was meine Genkarte angeht – ja. Aber was hat das ... hat das mit Vater zu tun?«

Da Ilka schweigt, überlässt sich Jonas seinen eigenen Überlegungen.

Warum ist er eigentlich nicht gleich, als er volljährig wurde, zur Zentralerfassung gegangen und hat sich seine Genkarte erläutern lassen? Darauf hatte er schließlich einen Anspruch.

Aber er hatte sich für das Recht auf Nichtwissen entschieden, das nach heftigen Debatten als unveräußerliches Menschenrecht in der Verfassung verankert worden war. Er wollte nichts wissen von seiner ererbten Veranlagung für bestimmte Krankheiten.

Schrecklich – jetzt schon zu wissen, dass man mit fünfzig Jahren an der Alzheimerkrankheit leiden wird. Oder an multipler Sklerose. Nein, er hatte es nicht wissen wollen. Andererseits – ein schlechtes Gewissen hat er auch. Mit seinem Verhalten gehört er einer allgemein als irrational und rückschrittlich belächelten Minderheit an. Und es gibt ja auch eine Menge Krankheiten, deren Ausbruch man verhindern kann, wenn man von seiner Veranlagung weiß. Würde ihm die Gesellschaft später nicht zu Recht vorwerfen, leichtfertig eine Erkrankung in Kauf genommen zu haben? Also eigentlich sollte er wohl doch irgendwann sein Genom kennenlernen. Und was sollten Ilkas merkwürdige Anspielungen? Gibt es vielleicht etwas, das er wissen müsste?

»Wenn ich aus der Klinik raus bin, werde ich mir meine Genkarte erläutern lassen. Werde ich dann erfahren, was du mir nicht erzählen willst?«

Ilka schweigt weiter so beharrlich, dass Jonas die Hoffnung aufgibt, von ihr etwas zu erfahren. Doch plötzlich redet sie los: »Na gut, ich werde dir jetzt alles erzählen. Aber es ist keine schöne Geschichte, mach dich darauf gefasst. Willst du sie wirklich hören?«

»Ich will sie hören.«

»Als unsere Mutter starb, warst du zwölf Jahre alt. Erinnerst du dich überhaupt noch an sie?«

»O ja, sie war ... sehr zärtlich, aber auch viel krank, oder? Ich erinnere mich, dass ich oft leise sein musste, weil sie krank im Bett lag. Was für eine Krankheit hatte sie eigentlich? Krebs, ja?«

»Nein, keinen Krebs. Hat Vater dir das erzählt? Das sähe ihm ähnlich. Nein, sie litt unter starken Depressionen. Ich war ja schon siebzehn damals und ich wurde immer mehr zu ihrer Vertrauten. Vater hatte nie Zeit für sie. Es war schrecklich! Wenn sie in ihrem Bett lag und sich aller Schlechtigkeit der Welt anklagte! Was muss mein armer Mann unter mir leiden! Und die Kinder! Und überhaupt. Sie war es nicht wert, auf der Welt zu sein, sie war eine Belastung für alle, und, und, und. Sie konnte sich da dermaßen reinsteigern! Zweimal hat sie einen Selbstmordversuch gemacht, aber so dilettantisch ... es war eigentlich nur ein Hilfeschrei.

Ich wollte ihr so gern helfen, aber ich konnte es nicht. Wenn ich an ihrem Bett saß, um sie zu trösten, jammerte sie: Jetzt verderb ich auch noch meiner Tochter ihre Jugendzeit. Und dann ging das wieder los mit ihrer Selbstzerfleischung. Ich war manchmal so verzweifelt. Und Vater war so gleichgültig. Er ging seinen Geschäften nach. Und dass er andere Frauen hatte, war ein offenes Geheimnis. Auch Mutter wusste es.

Aber es gab auch schöne Zeiten, wo sie lachen konnte und voller Energie steckte, Pläne für die Zukunft schmiedete ...«

Ilka macht eine Pause. Jonas hört sie schlucken.

»Eines Tages fand sie mich heulend auf meinem Bett liegen, weil mein erster Freund, meine erste große Liebe, mich verlassen hatte. Aber sie fragte mich gar nicht nach dem Grund. Sie schrie mich entsetzt an: Du darfst dich nicht hängen lassen! Du darfst nicht so werden wie ich! Ich versuchte sie zu beruhigen, aber sie war völlig aufgelöst. Und auf einmal sprudelte es aus ihr heraus und ich erfuhr, was Vater mit ihr gemacht hatte. Ihre Depressionen hatten damals gleich nach meiner Geburt begonnen . . .«

»Post-partum-Depressionen.«

»Ja, so nennt ihr Mediziner das wohl. Jedenfalls wollte Vater trotzdem unbedingt ein zweites Kind und sie war bald darauf wieder schwanger. Dieses Kind kam tot zur Welt. Mutters Depressionen wurden immer schlimmer. Sie klagte sich an, das Kind durch ihre negative Energie im Mutterleib getötet zu haben. Vater wollte sich scheiden lassen. Doch dann hätte er die Hälfte seines Kapitals hergeben müssen und er war gerade dabei, die Helckens-Ketten aufzubauen. Aber Vater ist ja ein findiger Kopf, nicht wahr? Nach ein paar Jahren hatte er Mama so weit, dass sie bereit war, eine Eispende anzunehmen, um für Vater ein zweites Kind auszutragen, das genetisch nicht von ihr stammte.

Vater hatte nämlich höllische Angst, sie könne ihre depressive Veranlagung auf ›sein‹ Kind vererben. Möchtest du noch mehr hören?«

Jonas' Herz rast. Er begreift. Dieses Kind ist er. Mama ist also gar nicht seine Mutter. Er ist der Sohn einer anonymen Eispenderin.

»Erzähl weiter!«, presst er hervor.

»Nach deiner Geburt ging es Mama erstaunlicherweise zuerst gut. Ich erinnere mich noch, wie wir zusammen den Kinderwagen durch die Gegend geschoben haben. Du warst aber auch wirklich ein süßes Kerlchen. Und ich war ganz die stolze große Schwester. Mama hat offenbar geglaubt, das Baby würde Vater wieder an sie binden. Doch in dieser Hoffnung wurde sie bitter enttäuscht.

Er hatte wieder eine Freundin und ließ sich kaum noch zu Hause blicken. Und bei Mama ging alles von vorn los. An dem Tag, als sie mich heulend auf dem Bett fand, hat sie offenbar geglaubt, ihre Krankheit wäre nun auch bei mir ausgebrochen.«

»Ich kenne keinen Menschen, der weniger depressiv wäre als du, Ilka.«

»Vielleicht – vielleicht bin ich aber auch nur deshalb so pausenlos aktiv, weil ich panische Angst davor habe, in dieses große, schwarze Loch zu fallen. Das behauptet jedenfalls meine Therapeutin. Wie dem auch sei: Mama jedenfalls fiel in dieses Loch und sie kam nicht wieder raus. Nein, *sie* kam nicht wieder raus.«

»Und das kannst du Vater nicht verzeihen ... dass er ihr nicht geholfen hat?«

»Nicht geholfen? Soll ich dir sagen, was er getan hat? Er hat ihr einen Todesautomaten ans Bett gestellt!«

»Nein, das ist nicht wahr!«

»Doch, das ist wahr!«

Jonas streckt seine Hand nach Ilka aus, doch sie ergreift sie nicht. Warme Tropfen zerplatzen auf seinem Handrücken. In Jonas' Kopf überschlagen sich die Gedanken. Dass seine Mutter den Freitod gewählt hat, das hat er sich aus den vagen Andeutungen seines Vaters schon zusammengereimt. Aber er hat geglaubt, sie wäre unheilbar krank gewesen und der Freitod nur ein letzter Schritt, um sich furchtbare Leiden zu ersparen. Kann es denn wahr sein, was Ilka ihm eben erzählt hat? Einer Depressiven einen Todesautomaten ans Bett zu stellen – das ist ja ... das ist einfach ... Mord. Auch wenn man das seinerzeit noch anders gesehen hat.

Als der Todesautomat von einem englischen Arzt entwickelt worden war und zum ersten Mal eingesetzt wurde, hat man allgemein mit Abscheu und Empörung reagiert. Dabei ist der Todesautomat nichts weiter als ein einfaches Infusionsgerät, das vom Patienten mit einem Knopfdruck von einer physiologischen Kochsalzlösung auf ein schnell wirkendes Gift umgestellt werden kann. Der Gesetzgeber reagierte mit einem Verbot darauf, ebenso wie auf die Anwendung vieler Möglichkeiten der Gen- und Reproduktionstechnologie.

Leihmutterschaft, Eispenden, Embryotransfer, Eingriffe in die Keimbahn des Menschen, Klonen, transgene Tiere – alles wurde per Gesetz verboten. Man war einfach noch nicht so weit, sich rational mit den neuen Möglichkeiten auseinandersetzen zu können. Doch in anderen Ländern war man weniger restriktiv – vor allem in den USA.

Aber auch in Europa verloren immer mehr Menschen die Angst vor den neuen Techniken, immer mehr forderten die Aufhebung aller Beschränkungen und Bevormundungen durch den Staat. Endlich wirkliche Freiheit und Selbstbestimmung! Nach dem Wahlsieg der European Progress Party war es so weit: Jedem mündigen Bürger wurde freigestellt, von allen Möglichkeiten nach eigener Entscheidung Gebrauch zu machen.

Aus dieser Zeit stammt auch ein Werbespot für den Todesautomaten, den Jonas einmal in einem Review gesehen hat: Frei leben – frei sterben. »Pax mortem« macht das Sterben leicht. Er erinnert sich mit Schaudern daran. Unvorstellbar! Heute kritisiert man zu Recht diese Phase als postindustrielle Euphorie. Erst war alles verboten – dann war alles erlaubt. Heute gibt es für jedes Problemfeld eine Ethikkommission, Ethik ist Pflichtfach an der Schule, das Ethikministerium ist eines der wichtigsten Ressorts der Regierung.

Todesautomaten dürfen nur noch nach einer Anhörung des Suizid begehrenden Antragstellers, seiner Angehörigen und der behandelnden Ärzte, gemäß einem strengen Indikationsmodell von der zuständigen Ethikkommission, ausgegeben werden. Aber damals war er eben noch frei verkäuflich und sein Vater hatte zugegriffen und seiner Mutter ...

Jonas kann es immer noch nicht glauben. Und doch weiß er, dass es wahr ist, weiß es durch das Schluchzen, das er von seiner sonst so starken Schwester hört.

»Ilka«, sagt er sanft, »ich glaub, ich kann dich jetzt verstehen. Aber ich kann auch Vater nicht einfach verurteilen. Es war eine ganz andere Zeit damals. Man hat völlig anders darüber gedacht ...«

»Ich war damals ein siebzehnjähriges Mädchen und ich habe *nicht* anders darüber gedacht! Und viele Menschen haben ähnlich empfunden. Sonst wäre heute noch alles so. Und ich werde weiter gegen jede Unmenschlichkeit kämpfen, auch gegen Leute, die für alles und jedes Verständnis haben – wie du!«

Jonas hört ihre hastigen Schritte und das Surren der automatischen Tür.

»Ilka!«, ruft er, aber er weiß, dass es vergeblich ist. Sie lässt ihn allein – allein mit den Gespenstern der Vergangenheit. Jonas versucht das Gesicht seiner Mutter zu visualisieren, aber es gelingt ihm nicht. Dabei hat er viele Fotos von ihr gesehen. Auch Filme. Er weiß, wie seine Mutter auf dem Bildschirm aussieht. Warum kann er sie nicht aus seiner Erinnerung hervorzaubern? Er versucht sich ihr Gesicht vorzustellen, wenn sie sich über ihn beugte, um ihm einen Gutenachtkuss zu geben.

Doch es ist immer Ilkas Gesicht, das ihm zulächelt. Aber an ihren Geruch erinnert er sich, ohne ihm einen Namen geben zu können. Und an den zärtlich müden Klang ihrer Stimme.

»Schlafe schön und träume süß – von Zuckerbrot und Milchanis.« Und dann schaltete sie seine Einschlafgeschichte ein.

Er war also gar nicht der Sohn dieser zerbrechlichen Frau, nach deren Tod er in sein Tagebuch geschrieben hatte: »Ich bin so traurig, weil meine Mama heute beerdigt wird. Und ich darf nicht mitgehen.« Obwohl er sie in ihren letzten Lebensmonaten kaum noch zu Gesicht bekommen hatte, war ihm nach ihrem Tod, als schwebte er im luftleeren Raum, als wüsste er nicht mehr, in welcher Richtung seine Füße Grund finden könnten.

An dieses Gefühl kann er sich gut erinnern. Ähnlich empfindet er jetzt. Er ist ein Halb-Anonymus. Na gut, viele sind heute Halb- oder

Voll-Anonymi. Seit Einführung des obligatorischen Gen-Check-ups blieb denjenigen, deren Genom nicht die notwendige Punktzahl erreichte, nur die Wahl, auf die Kinder zu verzichten oder eine Samen- beziehungsweise Eispende anzunehmen. Die Spender blieben anonym. Diese Regelung findet Jonas im Prinzip auch sinnvoll. Früher gab es die Pflicht, die genetischen Elternteile namentlich festzuhalten, und sie wurden, wenn zum Beispiel der Entscheidungselternteil starb, sogar als Sorgepflichtige herangezogen. Natürlich stellte sich da niemand mehr als Spender zur Verfügung.

Mit Einführung des Gen-Check-ups und der Pflicht zur Reagenzglaszeugung wurde die völlige Anonymisierung des Spenders gesetzlich vorgeschrieben. Sonst wäre das ganze System von vornherein zum Scheitern verurteilt gewesen.

Seine Mutter war also seine Entscheidungsmutter. Aber hatte sie sich wirklich für ihn entschieden, in einem freien und bewussten Akt, wie es in den Hochglanzbroschüren des Reproduktionsministeriums so schön dargestellt war? Wenn Ilkas Erzählung stimmte, war es eigentlich nur eine Entscheidung seines Vaters gewesen. Aber seine Mutter hätte dem ja nicht zustimmen müssen. Also doch ihre Entscheidung. Freie Wahl einer Depressiven?

Jonas streicht sich die Haare aus der Stirn.

Jetzt ist er wieder mittendrin in einer Thematik, die er so gar nicht liebt: Wie frei ist der Mensch? Nein, so kommt er nicht weiter. Außerdem ist das alles schon lange her. Man soll die Vergangenheit ruhen lassen.

Aber die Sache mit dem Todesautomaten? Müsste er darüber nicht mit Vater reden? Aus dessen Sicht wird sich die Sache sicher anders anhören als aus Ilkas. Sein Vater ist ihm gegenüber bisher immer sehr großzügig gewesen. Und auf einer sachlich-kameradschaftlichen Ebene funktionierte ihre Kommunikation hervorragend. Aber über ihre Gefühle haben sie sich nie ausgetauscht.

Allein schon der Gedanke daran bereitet Jonas Übelkeit. Wenn sein Vater nun anfängt zu weinen wie Ilka? Das könnte er nicht ertragen. Das wäre noch schlimmer als seine eigene blinde Hilflosigkeit.

Der Vater

Jonas träumt von schwerelosen Tänzen auf dem Mond, als er vom Redeschwall seines Vaters überflutet wird.

»Hallo, mein Lieber! Das Zimmer gefällt dir

doch hoffentlich? Wunderbare Aussicht! Wirst du auch bald genießen können. Der Heilungsprozess verläuft gut, hat Professor Reimann gesagt.

Acht Stunden hat er dich operiert. Mikrochirurgie vom Feinsten. Ein Könner auf seinem Gebiet, der Mann. Hat Herr Schulz dich mit allem versorgt?«

»Danke, Papa, ich hab alles, was ich brauche.«

Während sein Vater bedauert, erst heute gekommen zu sein, und weitschweifig von lustigen Begebenheiten am Rande der Welthandelskonferenz erzählt, tauchen in Jonas' Kopf blitzartig die Begriffe »Todesautomat«, »Halb-Anonymus« und »Depression« auf. Das alles scheint einer anderen Realität anzugehören. Das Geplauder seines Vaters – das ist die Wirklichkeit, in der Jonas sich zu Hause fühlt. Natürlich wird er das Gespräch mit seinem Vater über diese Geschichte, die Ilka ihm erzählt hat, suchen. Bald. Später. Wenn er wieder sehen kann. Er muss im Gesicht seines Vaters lesen können.

Der ist mittlerweile wieder bei Professor Reimann und dessen ärztlicher Kunst angekommen.

»Professor Reimann hat mir vorhin versichert, dass deine neuen Augen problemlos anwachsen.«

Jonas stockt der Atem. Neue Augen? Sie haben ihm neue Augen eingepflanzt? Davon hat

Ilka ihm nichts erzählt. Mein Gott, diese blöde Pute! Sie hat getan, als ob alles in Ordnung wäre. Dabei weiß sie ja wohl auch, dass sich erst in den nächsten Wochen zeigen wird, ob die Ärzte es schaffen, die Abstoßungsreaktion des Körpers gegen die fremden Augen zu unterdrücken. Und . . . wenn nicht?

»Also das . . . entschuldige, aber das schockiert mich ziemlich. Ich wusste noch gar nicht, dass eine Transplantation gemacht worden ist.«

»Warum bist du deshalb schockiert? Deine Sehkraft wird völlig wiederhergestellt!«

»Wenn keine zu heftige Immunreaktion einsetzt!«

»Ach so, das befürchtest du! Es wird keine Immunreaktion einsetzen. Da kannst du unbesorgt sein.«

Jonas runzelt die Stirn. Wenn er doch nur das Gesicht seines Vaters sehen könnte! Die Stimme hört sich so verdammt sicher an. Sollte er etwa . . .?

»Woher nimmst du den Optimismus?«

»Na ja, ich hab's dir bisher nicht erzählt. War ja auch gar nicht notwendig. Ich hatte keine Lust, mir womöglich Vorwürfe anzuhören. Für deine Schwester bin ich ja schon ein Verbrecher, wenn ich einen Rehrücken verspeise. Also kurz und gut: Du hast einen Duplik. Und dessen Augen hat man dir eingepflanzt.«

Jonas atmet tief durch. Er braucht also wirklich keine Angst zu haben. Da sein Duplik genidentische Eiweißstrukturen hat, werden seine Augen von Jonas' Immunsystem nicht als körperfremd eingestuft. Bei Duplik-Transplantationen gibt es keine Abstoßungsreaktionen.

»Mann, da fällt mir ja eine Zentnerlast vom Herzen!«

»Na siehst du. Da hat sich die ganze Investition in deinen Duplik doch gelohnt.«

»Was hat er dich gekostet?«

»Reden wir doch nicht vom Geld! Du weißt, dass die Bestellung und Unterhaltung eines Dupliks nicht gerade billig ist.«

»Aber dass du mir nie erzählt hast, dass es einen Duplik für mich gibt!«

»Hab ich doch schon erklärt. Ich hatte keine Lust, mir auch noch Vorwürfe dafür einzuhandeln, dass ich meine selbstverständliche Pflicht als Vater getan und für die Gesunderhaltung meines Sohnes gesorgt habe. Deine Schwester meint ja, die ganze Welt retten zu müssen, einschließlich aller Ratten, Lurche, Zellhaufen und Dupliks!«

»Hast du etwa für sie auch einen Duplik machen lassen? Ich glaub, das würde sie dir nie verzeihen.«

»Nein, eure Mutter war damals dagegen. Sie hatte auch so merkwürdige gefühlsduselige Anwandlungen. Die Haltung von Dupliks wäre unmenschlich und so. Dabei sollte man doch meinen, dass eine Mutter zuallererst an ihre Kinder denkt! Na ja, bei Ilka hab ich mich noch davon abbringen lassen. Aber nachdem ich bei einem Bekannten erlebt hab, dass seine Tochter im Alter von vier Jahren sterben musste – elendiglich sterben musste –, nur weil kein genidentisches Knochenmark zur Verfügung stand, hab ich zu eurer Mutter gesagt: Von unserem zweiten Kind wird ein Duplik gemacht, sonst sind wir geschiedene Leute!«

Genauso, wie du durchgesetzt hast, dass sie eine Eispende annimmt, denkt Jonas, aber er fragt nur: »Und sie hat nachgegeben?«

»Aber sicher doch. Als du geboren wurdest, war die ganze Aufregung und die ewige Diskussion um die Ethik der Duplikhaltung auch schon wieder abgeflaut. Es ist doch ganz klar, dass es geradezu eine moralische Pflicht ist, alles medizinisch und technisch Mögliche zu tun, um die Gesundheit eines Menschen zu erhalten, oder etwa nicht? In ein paar Jahren sind übrigens ganz entscheidende neue Schritte in dieser Richtung zu erwarten, wie mir Professor Reimann vorhin erklärt hat.«

»Als da wären?«

»Nun, bisher kann man ja nur aus Embryonalzellen Dupliks herstellen, die dann von einer Leihmutter ausgetragen werden.

Bald wird man aber auch aus Zellen Erwachsener Dupliks produzieren! Der Vorteil liegt auf der Hand: Du kannst zum Beispiel von einem Fünfzigjährigen einen Duplik erzeugen. Phänomenal, nicht? Das löst endlich das bisher größte Problem: die Gleichaltrigkeit.

Es wird zwar in den Horten alles getan, um die Gesundheit der Dupliks zu gewährleisten. Aber trotzdem ist das Duplikherz eben auch siebzig Jahre alt, wenn es von einem Menschen eventuell gebraucht wird.«

»Hört sich gut an. Ein entscheidender Fortschritt.«

»Eben! Der Fortschritt ist nicht aufzuhalten. Sich ihm entgegenzustellen ist lächerlich. Wenn deine Schwester das doch nur mal einsehen würde! Aber zu allen Zeiten gab es diese konservativen Kräfte. Wenn ich mir überlege, was für ein Drama man damals um die Leihmütter gemacht hat!«

»Na ja, die Leute hatten eben noch ganz andere Vorstellungen. Mutterschaft und so ... das wurde rein gefühlsmäßig beurteilt.«

»Wem sagst du das! Heute ist es jedenfalls eine allgemein anerkannte Erwerbsmöglichkeit für Frauen. Und die sind es doch auch, die lautstark gegen die Entwicklung des Kunst-Uterus protestieren. Weil es nämlich ihre Verdienstmöglichkeiten gefährdet.«

»Da musst du aber unterscheiden! Die Kat-5-Frauen sind dagegen, aber in Kat-1 und Kat-2 sieht das schon ganz anders aus. Diese Frauen würden ihre Kinder doch lieber in einem optimal gesteuerten Labor-Uterus entwickeln lassen, als sie so einer Kat-5-Frau anzuvertrauen, auf die man sich ja doch nicht hundertprozentig verlassen kann. Wie viele rauchen oder haben vertragswidrigen Geschlechtsverkehr!«

»Sicher, sicher. Ich denke, der Labor-Uterus wird bald marktreif sein und dann wird er auch eingesetzt werden. Aber die Kosten! Für die meisten wird noch lange Zeit eine Leihmutter die preisgünstigere Alternative bleiben. Und für die Duplikherstellung reicht das System allemal.«

»Erinnerst du dich an den Fall der jungen Frau, die den Duplik, den sie austrug, nicht abliefern wollte? Die hatte sich doch zur Geburt des Kindes in einem Wochenendhaus versteckt ...«

»Na sicher, das ging ja durch die Medien. Was soll ich dazu sagen? Die Frau war geistesgestört. Wenn ein Maurer ein Haus für einen Auftraggeber baut, kann er dann hinterher kommen und sagen: Das ist mein Haus? Nur weil er es gebaut hat? Na also. Das Haus gehört dem, der es finanziert hat. Genauso ist es mit einem Duplik.«

»Die Frau ist bei der Geburt gestorben.«

»Geburt! Bei Dupliks nennt man das Entnahme, das weißt du genau. Man muss auch sprachlich sauber trennen, sonst kommt es nämlich zu diesen unseligen Vermengungen von völlig verschiedenen Vorgängen. Also gut, sie ist gestorben. Wäre sie in die Klinik gegangen, hätten sie ihr schmerz- und gefahrlos das Endprodukt ihrer Arbeit entnommen, sie hätte ihren verdienten Lohn bekommen und wäre froh und zufrieden wie tausend andere Leihmütter auch. Von denen redet kein Mensch! Aber solche Extrembeispiele wie diese bedauernswerte kranke Frau, die werden von entsprechenden Kreisen hochgespielt. Man hat seitdem die psychologischen Eignungstests für Leihmütter erheblich verbessert und mir ist aus neuerer Zeit kein ähnlicher Fall bekannt geworden.«

»Nein, da hast du recht.«

»Na bitte! Aber nun lass uns mal von diesem unerfreulichen Thema wegkommen. Du wirst wieder gesund und voll leistungsfähig sein und das ist schließlich die Hauptsache. Und wenn du später mal Probleme mit anderen Körperteilen hast, wird sich die Unterhaltung deines Dupliks auch weiterhin auszahlen. Tja, so gut möchte ich es auch haben. Für mich gibt's keinen Duplik. Zu meiner Zeit war daran ja noch gar nicht zu denken. Und meine Pumpe ist auch nicht mehr so leistungsstark. Ich kann nur hoffen, dass sie bald so weit sein werden, aus meinen verbrauchten Zellen einen frischen, knackigen Duplik herzustellen. Die Zeit läuft. Denn mit einem Säuglingsherzen ist mir ja auch nicht gedient. Aber worüber reden wir überhaupt die ganze Zeit? Grüble bloß nicht so viel, das schadet dem Heilungsprozess. Hör Musik, das entspannt. So, ich fürchte, ich muss jetzt gehen. Halte die Ohren steif, mein Junge! Ich schau morgen wieder bei dir rein.«

Jonas spürt kurz die Hand seines Vaters auf seiner Wange, dann ist er allein.

Plötzlich fühlt er sich leer, ausgepumpt. Zuerst dieser Schock: transplantierte Augen! Abstoßungsgefahr! – und dann die Erlösung: Duplikaugen! Das ist ein bisschen viel auf einmal. Erst jetzt, im Nachhinein, erlebt er in vollem Ausmaß die Angst und die Erleichterung, die ihn eben nur kurz angerührt haben. Zurück bleibt eine völlige Gedanken- und Gefühllosigkeit.

Doch dieses Vakuum füllt sich plötzlich mit einem Bild, dem Bild seines Dupliks, der jetzt wohl auch in einem Klinikbett liegt, mit einem Verband um die Augen. Aber er wird nicht sehen können, wenn man ihn von dem Verband befreit.

Ob sein Duplik darunter leidet, blind zu sein? Natürlich hat Jonas schon in der Schule gelernt, dass Dupliks völlig andersartige Lebewesen sind als Menschen. Äußerlich zwar ähnlich, ja sogar identisch mit dem Menschen, dessen Gesunderhaltung sie dienen. Aber von ihrem Gefühlsleben weiß man ebenso wenig wie von den Gefühlen eines Schimpansen. Oder einer Katze.

Natürlich haben die auch Gefühle. Aber eben keine menschlichen. Ilka würde allerdings sagen, dass auch Dupliks eine Seele hätten. Aber Ilka behauptet das auch von ihren beiden Katzen. Und was ist das überhaupt für ein Begriff: Seele? Völlig unwissenschaftlich!

Jonas versucht den Gedanken an Ilka zu verdrängen und noch einmal dieses wunderbare Gefühl der Erleichterung und Dankbarkeit dafür hervorzuzaubern, dass ihn die Duplikaugen vor einem Leben in Finsternis bewahren werden. Aber das Unbehagen bleibt. Jetzt ist er Nutznießer eines Systems, das Ilka ebenso heftig ablehnt wie die Massentierhaltung oder die Embryonutzung. Aber, verdammt noch mal, er lässt sich keine Schuldgefühle einreden. Nicht, wenn er ein Schnitzel verzehrt, nicht, wenn er im Studium das Testen von Impfstoffen an Embryonen erlernt, und auch nicht, wenn er mit den Augen seines Dupliks sehen wird!

Die Abiturfrage im Fach Ethik fällt ihm wieder ein: »Was ist der existenzielle Unterschied zwischen einem Menschen und einem Duplik?« Er hatte natürlich die richtige Antwort gewusst: Der Mensch ist frei geboren, der Duplik als Gesunderhaltungsmittel für den Menschen produziert. Da das Wesen des Menschen die Freiheit, das Wesen des Dupliks aber die Zweckgebundenheit ist, sind ihre Seinsweisen existenziell verschieden. Na also. Alles klar.

Auch ein Abzählreim aus seinen Kindertagen kommt ihm in den Sinn: »Eins, zwei, drei, du bist frei, bist du arm, stirbst am kranken Darm, bist du reich, heilt dich Dupliks Leich.« Warum verwirrte ihn die Tatsache, dass er einen Duplik hatte, eigentlich so? Sicher, er hat in der Schule von den heftigen Diskussionen im Parlament anlässlich der Verabschiedung des Gesetzes über die medizinische Duplikhaltung gehört. Und auch heute, nach mehr als drei Jahrzehnten, gibt es immer noch einflussreiche Kräfte wie Sekten, die Lebensschützer und die Konservativen, die sich gegen die Duplikhaltung aussprechen.

Ähnlich musste es früher mit der Abtreibung gewesen sein. Ein Phänomen, das es seit der Abschaffung der wilden Schwangerschaften zum Glück nicht mehr gibt. Jonas beschäftigt sich höchst ungern mit solchen Fragen.

In der Schule hat er im Fach Ethik zwar das Notwendige getan, es hat ihn auch interessiert, aber er fand es ungeheuer schwierig. Bei fast allen ethischen Grundsatzfragen gibt es gute Gründe für die eine und gute Gründe für die andere Position. – Ist der Mensch in seinem Willen frei oder determiniert? Darf man todkranke Menschen von ihren Leiden erlösen oder ist das Mord? Ist ein Mensch verpflichtet, seine Gene zu kennen um der Gesellschaft durch vermeidbare Krankheiten nicht zur Last zu fallen, oder darf er einfach drauflosleben? Darf der Mensch Tiere verbrauchen oder ist alles Lebendige unantastbar? Auch Mücken? Wo ist die Grenze? Erst bei den Säugetieren? Je mehr sie darüber lasen und diskutierten, umso unlösbarer fand er diese Fragen. Und trotzdem sah er ein, dass sie in einer Gesellschaft beantwortet und eindeutig geregelt werden mussten. Das war nur durch demokratische Mehrheitsentscheidungen möglich. Aber um wirklich verantwortungsbewusst entscheiden zu können, musste jeder Einzelne diese Fragen für sich durchdacht und beantwortet haben. Und da biss sich die Katze in den Schwanz. Jonas konnte sich nun mal nicht für eine einzige Antwort entscheiden.

Wie herrlich waren dagegen die naturwissenschaftlichen Fächer! Da brauchte er sich nicht zu überlegen, ob 4 + 4 vielleicht 9 sein könnten ...

Auch das Problem der Duplikhaltung hatte ihm immer Unbehagen bereitet. Auf der einen Seite erschien es ihm logisch, dass Wesen, die speziell zu Verwertungszwecken hergestellt wurden, nicht mit Menschen auf eine Stufe gestellt werden konnten. Zum anderen waren sie eben doch aus demselben Material gemacht und von daher vielleicht doch ... menschenähnlich?

Ach, er hasst diese Zweifel. Das ganze System ist schon in Ordnung so. Sonst wären ja nicht so viele dafür. Aber entscheiden sich Menschen in der Mehrheit nicht für das, was für sie persönlich von Vorteil ist? Was aber hat das noch mit Moral zu tun? Was würden Dupliks dazu sagen? Jonas muss lachen. Ein absurder Gedanke. Oder? Was für ein Wesen mag ein Duplik sein? Wie denkt er? Wie empfindet er seine Blindheit? Weiß er, was ihn plötzlich blind gemacht hat? Kennt er seine Bestimmung?

Jonas möchte sich diese Fragen nicht stellen. Sie verwirren, sie sind unproduktiv, zerstörerisch. Aber er kann sie auch nicht ausblenden. Vielleicht wäre es gut, noch einmal mit Ilka darüber zu reden. Sie hat sich schließlich intensiv damit beschäftigt, wenn auch sehr einseitig.

Der Einsame

Hannes ist in der Klinik!

Er hat plötzlich Durchfall bekommen. Es spritzte nur so hinten raus, sagt Tim. Obwohl er ständig versucht hat, ihm Fencheltee einzuflößen, hat Hannes in zwei Tagen so viel Flüssigkeit verloren, dass Frau Dr. Hellmann ihn in die Klinik eingewiesen hat.

Jetzt rennt Tim in der Wohnung rum wie eine Henne ohne ihr Küken. Er macht mich noch wahnsinnig! Hannes ist sicher in ein paar Tagen wieder in Ordnung. Jan und Martin machen doch auch nicht so ein Drama daraus! Und dann fragt mich Tim auch noch, ob ich wirklich immer aufgepasst hab, wenn ich mit Hannes zusammen war. Da bin ich explodiert! Durchfall ist kein Fraß, hab ich geschrien. Und außerdem ist der Fraß nicht ansteckend. Wann begreifst du Idiot das endlich!

Na ja, das war vielleicht ein bisschen hart. Ich hab mich hinterher auch bei ihm entschuldigt. Aber ich finde es manchmal wirklich nicht leicht mit ihm. Warum glaubt er den Frauen nicht? Die sind doch wohl tausendmal klüger als er! Aber nein, nur weil es keine Erklärung für das plötzliche Auftreten des Fraßes gibt, schenkt er den Gerüchten von der Infizierung Glauben!

Schon wieder Hin-und-Her-Gerenne! Dabei hab ich geglaubt, jetzt, wo Hannes ein paar Tage nicht da ist, wäre endlich mal Ruhe in der Wohnung. Meine Erkrankung hat mich extrem geräuschempfindlich werden lassen. Und dabei immer Hannes' Geplappere, Gejauchze, Gejammere, Gequieke und Geschrei. Dass so ein kleines Kind so viel Lärm machen kann! In letzter Zeit gehört es auch noch zu seiner Lieblingsbeschäftigung, Bauklötze gegeneinanderzuschlagen. Stundenlang!

Ich flüchte oft aus der Wohnung. Nehme meinen elektronischen Blindenstab und mache einen Spaziergang durch den Hort. Manchmal begleitet mich Martin. Aber nur bis zum Fußballplatz.

Ach, was war ein Spaziergang früher und was ist er heute! Früher habe ich mich an den Blumenrabatten gefreut, habe manchmal sogar einem Schmetterling hinterhergesehen, habe den Fußballern beim Training zugeschaut und Martin angefeuert, habe registriert, welches Kleeblatt mal wieder seine Fensterscheiben nicht geputzt hat, und habe die zum Trocknen ausgelegten Bilder der Aquarellmaler bewundert. Heute könnte ich genauso gut in einem Rad laufen, wie Jan es für seinen Hamster hat. Ich bewege die Beine, ja gut, aber sonst? Es riecht anders als zu Hause, andere Geräusche dringen an meine Ohren, aber oft lenkt mich das nicht genügend ab von den immer wiederkehrenden Gedanken, die in meinem Hirn kreisen.

Wenn mich jemand anspricht und ein paar Worte mit mir wechselt – das ist das Schönste an den Spaziergängen. Ich erfahre Neuigkeiten aus dem Hort. Dass Mirko die X-Dance-Meisterschaft gewonnen hat. Dass Kleeblatt 26 jetzt auch einen Neugekommenen betreut. Dass Arno den Fraß in den Nieren hat. Man fragt mich, wie ich zurechtkomme, ich sage: »Man muss ja«, und lobe mein Kleeblatt für seine Hilfe. Ich verschweige die Szenen mit Tim und klage auch nicht darüber, dass die anderen immer häufiger nicht daran denken, Hannes' Spielsachen vom Fußboden zu räumen, über die ich dann stolpere. Na ja, die Dupliks, die ich treffe, erzählen natürlich auch nur Gutes über ihre Kleeblätter. Wir haben ja schon im Kinderhaus gelernt, dass vier Blätter eine Einheit bilden müssen und es unanständig ist, im Hort sein Kleeblatt schlechtzumachen.

Wenn ich dann zu Hause in meinem Sessel sitze und Pidder sich auf meinem Schoß zusammenrollt, fange ich wieder an, mit meinem Schicksal zu hadern. Warum gerade ich? Ich bin doch noch so jung! Warum kann man sich vor dem Fraß nicht schützen? Warum sind wir dieser schrecklichen Krankheit so hilflos ausgeliefert?

Es gibt im Hort eine Gruppe, deren Mitglieder glauben, dem Fraß durch meditative Telepathie etwas entgegensetzen zu können. Aber von denen hat es auch schon welche erwischt. Die Positiv-Gruppe dagegen versucht dem Leiden einen tieferen Sinn abzugewinnen. Durch die Tiefen zur Höhe und so 'n Quatsch. Also, da würde ich nie hingehen!

Lieber sitze ich in meinem Sessel und führe laute Anklagereden. Ich weiß nur nicht, gegen wen oder was. Jan kommt manchmal rein und schimpft: »Du meckerst schon wieder!« Und ich sage: »Ja, ich meckere schon wieder und ich hab auch das verdammte Recht zu meckern. Du kannst dir überhaupt nicht vorstellen, wie das ist, wenn man ...« Und er geht hinaus und sagt: »Ist ja schon gut!«

Ich weiß, es wäre viel klüger, wenn ich mich mit meiner Blindheit abfinden, »das Beste draus machen« würde. Aber ich kann es nicht. Ich kann es nicht! Versteht das denn keiner?

Der Zweifler

Jonas wartet ungeduldig auf seine Schwester. Um sich abzulenken, hört er Musik. Wie immer ist es etwas Klassisches. Er tippt »The Beatles 15–23« in den Rekorder und schon ertönen die ersten Takte von »Yesterday«. Diese Musik versetzt ihn sonst immer in eine träumerisch-heitere Stimmung. Aber obwohl er versucht, an etwas anderes zu denken, erscheint ihm stets von Neuem das Bild seines Dupliks.

Ob der weiß, für wen er seine Augen verloren hat? Muss er ihn dafür nicht hassen? Können Dupliks überhaupt hassen? Wie leben sie eigentlich in ihren Horten?

Immer neue Fragen tauchen in Jonas auf. Er kommt nicht mehr davon los. Er sieht nichts. Nichts kann ihn ablenken. Und so sieht er immer wieder seinen Duplik.

Ist der nicht wie er selbst? Körperlich ja, sagen sie. Aber vielleicht fühlt und denkt er auch genauso? Es heißt: nein. Fühlen und Denken werden durch die Umwelt geprägt. Und nur eine menschliche Umwelt produziert menschliches Denken und Fühlen.

Eine dupliksche Umwelt produziert dupliksches Denken und Fühlen. Aber was ist das überhaupt? Warum darf man die Dupliks nicht sehen? Kontakt mit nicht in Duplikologie ausgebildeten Fachkräften würde ihre Psychoharmonie gefährden und damit ihre Gesundheit, heißt es. Das wird wohl auch stimmen. Aber kann man sich wirklich allein auf die jährlichen Berichte der Kommission für humane Duplikhaltung verlassen?

Jonas fällt immer wieder in einen kurzen, unruhigen Schlaf. Einmal träumt er, er selbst sei sein Duplik. Er hat leere Augenhöhlen und schreit: »Warum hast du mich beraubt? Ich bin kein Duplik. Ich bin ein Mensch. Ich. Jonas. Mensch!«

Als Ilka endlich mit einem selbst gebackenen Pfirsichkuchen zu ihm kommt, überfällt er sie nach einem flüchtigen »Dankeschön« gleich mit einer Frage: »Was würdest du tun, wenn du einen Duplik hättest?«

»Vater hat es dir also gesagt?«

»Ja, hat er. Also was?«

»Ich weiß es nicht, ehrlich gesagt. Es gibt keinen individuellen Weg, sich dagegen zu wehren. Wenn ich sage, ich verzichte auf meinen Duplik, wird er sofort getötet und sein Körper dem allgemeinen Spendermarkt zur Verfügung gestellt. Das will ich natürlich nicht. Ich denke, wir müssen politisch gegen dieses ganze unmenschliche System angehen und dafür sorgen, dass alle Dupliks befreit und keine neuen produziert werden.«

»Schöne Worte. Dafür und für vieles andere kämpfst du schon seit Jahren. Aber ihr seid nur eine kleine Minderheit. Die meisten Menschen sind doch einverstanden mit diesen Horten für menschliche Ersatzteile. Außerdem helfen mir diese Phrasen vom politischen Kampf jetzt überhaupt nicht weiter.«

»Ja, was willst du denn von mir hören? Dass ich mich für dich freue, dass du dank der Duplikaugen nicht erblindet bist? Nein! Es ist und bleibt Unrecht! Die Erblindung zu ertragen wäre dein Schicksal. Jetzt bürdest du es deinem Duplik auf und glaubst, damit ist alles in Ordnung.«

Jetzt hat sie wieder ihren missionarischen Tonfall drauf! Dieser Eifer macht ihm ihre Artikel und Features so unerträglich, auch wenn er in konservativen Kreisen geradezu bewundert wird.

»Schicksal«, sagt er schließlich, »Schicksal ist etwas, dem man nicht entgehen kann. Meiner Erblindung kann ich aber entgehen. Woher nimmst du eigentlich deine Selbstgerechtigkeit? Wie kann die Duplikhaltung ein Verbrechen sein, wenn die Duplikgesetze damals mit großer Mehrheit im Parlament verabschiedet worden sind? Du und deine Lebensschützer – ihr stellt euch gegen ein demokratisch legitimiertes Gesetz!«

»Jonas, möchtest du, dass man dir deine Augen wegnimmt? Und mit welchem Recht raubst du sie deinem Bruder?«

»Bruder? Also, nun mach aber mal Schluss! Er ist ein Duplikat.«

»Er ist dein Bruder. Dein Zwillingsbruder!«

»Gib mir ein Stück von deinem Pfirsichkuchen, bitte.«

»Gut, wenn du den Tatsachen nicht ins Auge sehen willst.«

»Im Moment kann ich überhaupt nicht sehen!«

»Entschuldige. Hier, er bröckelt ein bisschen.«

»Macht nichts. Schmeckt sehr gut. Also, Ilka, jetzt hör mal zu: Ich hab nicht die geringste Lust auf Grundsatzdebatten mit dir. Ich hab genug von deinen flammenden Artikeln gelesen und von deinen aufklärerischen Spots gesehen. Ich kenn deine Meinung ...«

»Warum fragst du mich dann? Was willst du von mir?« Jonas zerkaut den Kuchen. Ja, was will er eigentlich von Ilka?

»Vielleicht ... einfach mehr Informationen. Keine Wertungen, verstehst du? Ich will wissen, wie die eigentlich leben in ihren Horten. Was für Wesen sie sind. Wie sie denken, fühlen. Mein Duplik – wie wird er damit fertig, plötzlich blind zu sein? Das sind so Fragen, die ich mir stelle. Ich würd gern mal so einen Hort besichtigen.«

»Du weißt genau, dass es nicht mal Regierungsmitgliedern möglich ist, in die Horte reinzukommen.«

»Jaa ...«

»Ja also! Mein Gott, lebst du auf dem Mond? Bisher hast du dich nicht um die Dupliks gekümmert und auf einmal will der feine Herr einen Hort besichtigen!«

»Sei doch nicht so giftig! Es ist eben was anderes, wenn man ein Problem nur theoretisch durchdenkt, als wenn man persönlich davon betroffen ist. Der Gedanke, dass da so jemand existiert, der genauso aussieht wie ich ...«

»Vielleicht solltest du mal, wenn du wieder gesund bist, zu unserer Lebensschützergruppe kommen. Einfach so in Ruhe darüber reden. Wir sind gar nicht so dogmatisch, wie du immer denkst!«

»Na ja ... vielleicht.«

»Wir haben schon einiges an Informationen ...«

»Wenn ich nur erst wieder sehen kann! Jetzt

merke ich erst, wie sehr der Mensch von visuellen Eindrücken abhängig ist.«

»Ein Augentier.«

»Ich glaub, ich werd mal kommen.«

Die Zumutung

Sechs Wochen später ist Jonas Helcken wieder zu Hause. Die Ärzte haben recht behalten: Seine Sehkraft ist völlig wiederhergestellt.

Manchmal denkt er noch an den Moment, als sie ihm den Verband abgenommen haben und er zum ersten Mal wieder die Augenlider öffnen durfte. Er erblickte ein riesengroßes rotes Plastikherz, das über dem Fußende seines Bettes schwebte. »Hurra!«, stand in silberglitzernden Buchstaben darauf. Während sich das breit lächelnde Gesicht seines Vaters in sein Blickfeld schob, verschwamm das Herz. »Drüsenfunktion prächtig«, kommentierte Professor Reimann und alle lachten.

Jetzt liest er von morgens bis abends in seinen medizinischen Lehrbüchern, um die verlorene Zeit wieder aufzuholen. Seine Augen ermüden nicht schneller als vor der Operation. Die vergangenen Wochen erscheinen ihm wie ein Albtraum. Und wie einen Albtraum versucht er diese Zeit abzuschütteln, um sich in seinem Alltag wieder zurechtzufinden.

Jeden Mittwoch denkt er daran, dass sich Ilkas Lebensschützergruppe abends trifft und er eigentlich hingehen wollte. Aber jeden Mittwoch verschiebt er dieses Vorhaben. Er muss lernen, er muss sich erst wieder einleben. Er hat Kopfschmerzen.

Eines Abends steht Ilka vor der Tür. Sie ist kaum in der Wohnung, als sie auch schon losredet: »Jonas, wir brauchen dich als Kontaktmann.«

»Kontakt? Zu wem?«

Statt einer Antwort zieht Ilka ein eng beschriebenes Blatt Papier aus der Tasche. »Hier, lies!«

Liebe Frau Helcken,

ich hoffe, dieser in einem Werbeprospekt versteckte Brief erreicht Sie. Ich kenne Ihre Publikationen zur Lebensschutzfrage und Ihr unermüdliches Eintreten für Dupliks und Tiere.

Ich selbst arbeite seit dreiundzwanzig Jahren als Fachkraft für Duplikhaltung. Ich bewundere an Ihnen, dass Sie aus der Theorie heraus, trotz gegenteiliger Beeinflussung in der Schule und später durch die Medien, zu der Überzeugung gelangt sind, dass die Dupliks auch Menschen sind, die die gleichen Rechte haben sollten wie wir auch. Ich selbst habe viele Jahre gebraucht, um das zu begreifen, obwohl ich doch täglichen Umgang mit ihnen hatte.

Ich möchte Ihnen meine Geschichte erzählen, damit Sie nachher Verständnis für mein Anliegen haben: Ich habe mich nach der Schule beim Amt für Duplikologie beworben, weil ich gehört hatte, dass die Arbeit dort sehr gut bezahlt würde. Über Dupliks wusste ich das Übliche, was man so in der Schule lernt. Ich wurde nach etlichen Tests und psychologischen Untersuchungen unter vielen Bewerberinnen ausgewählt und drei Jahre lang zur Dada ausgebildet (Dadas sind die Kinderpflegerinnen).

Ich habe dann dreizehn Jahre lang in der Vormittagsschicht sechs kleine Dupliks mit großgezogen. Ich habe ihnen nach Vorschrift Essen, taktile Stimulation und kognitive Impulse gegeben und sie vor allem zum täglichen Gesundheitstraining angehalten. Mir hat die Arbeit Spaß gemacht. Schwierig war es nur manchmal, die Fragen der Kinder auszuhalten: »Warum dürfen wir nicht über die Mauer? Wohin gehst du, wenn du hier weggehst?«

Ich durfte nicht antworten, aber in mir selbst bohrten diese Fragen weiter.

Als ich selbst einen Sohn bekam, wurde es für mich immer schwieriger, innerlich die Trennung von Menschen und Dupliks durchzuhalten.

Worin ist dein Sohn eigentlich anders als die kleinen Dupliks? Diese Frage quälte mich.

Natürlich ließ ich mir an meinem Arbeitsplatz nichts anmerken. Ich war sowieso schon negativ aufgefallen, denn mein Sohn war Produkt einer wilden Schwangerschaft. Nun war das vor zwanzig Jahren zwar noch nicht strafbar, aber es galt schon als asozial. Ich wollte jedoch dieses Kind, das in mir entstanden war. (Das Kind war übrigens das Ergebnis einer unglücklichen, aber großen Liebe, doch das gehört nicht hierher.) Deshalb habe ich auch nachträglich keine Genom-Analyse in Anspruch genommen, denn ich hätte keinen Vorsorgeabbruch machen lassen, selbst wenn der Fötus die qualigenetische Punktzahl nicht erreicht und damit der DIN-Norm nicht entsprochen hätte. Nun, mein Sohn hat tatsächlich einen Gendefekt. Seine sämtlichen Backenzähne sind nicht vorhanden.

Habe ich deshalb meine Entscheidung bereut? Nicht eine Sekunde! Dass es ihn gibt, ist das größte Geschenk des Lebens an mich. (Entschuldigen Sie die altertümliche Ausdrucksweise, aber ich weiß nicht, wie ich es sonst sagen soll.)

Mein Sohn S. hat heute Kunstzähne. Es macht ihm keine Probleme, aber er bekommt natürlich keine Fertilisationskarte (und ich keine Enkelkinder). Das ist sicher einer der Gründe, die ihn gegen gewisse Strukturen unserer Gesellschaft aufgebracht haben, aber ich greife vor. Zurück zur Situation nach seiner Geburt:

Ich versuchte den negativen Eindruck, den meine wilde Schwangerschaft gemacht hatte, durch doppelten Arbeitseifer wieder wettzumachen. Vor allem aber verdrängte ich die Tatsache, dass meine kleinen Dupliks zu nichts anderem da waren, als nach Bedarf Körperteile für ihre Menschen zu liefern. Im Kindesalter wird dieses ja selten in Anspruch genommen.

Aber dann wurde der siebenjährige Niklas verwertet. Sein Mensch war verunglückt und seine Leber, seine Milz und Teile seines Rückenmarks wurden gebraucht. Das Entsetzliche war, dass sie ihn nicht töteten, sondern ihn noch jahrelang im Koma, angeschlossen an Geräte, die seine Grundlebensfunktionen aufrechterhielten, dahinvegetieren ließen, damit sie ihm immer wieder Rückenmark entnehmen konnten.

Mit diesem Erlebnis wurde ich nicht fertig. Wenn die Kinder mich fragten: »Wo ist Niklas?«, stammelte ich die vorgeschriebenen Sätze vom Fraß, an dem er erkrankt sei, aber in meine Augen traten Tränen.

Ich wurde nachgiebig gegenüber den Kindern, verwöhnte sie mehr als angeordnet. Das alles blieb nicht unbemerkt, denn die Dupliks (und auch wir) werden Tag und Nacht per Videokamera überwacht. Normabweichende Bilder und Akustiks werden vom Computer aussortiert und von der Sicherheitskommission begutachtet, die auch Vorschläge zur Behebung potenzieller Störfelder macht.

Jedenfalls wurde ich in die Klinik versetzt. Dort arbeitete ich in der Heilabteilung, das ist die Abteilung, die tatsächlich der Behandlung von Krankheiten dient. Ich stürzte mich mit Feuereifer in die Arbeit, um meine Zweifel zu vergessen. Hier konnte ich den Dupliks Gutes tun, redete ich mir ein.

Welch ein Kurzschluss, werden Sie sagen, und Sie haben natürlich recht. Ich selbst bin mir ein abschreckendes Beispiel für die Fähigkeit der menschlichen Psyche, sich einzureden, man mache das Beste aus einer Situation, weil man nicht sehen will, dass man die Situation ändern muss. Ich funktionierte also als zuverlässiges Schräubchen im Getriebe.

Vor einem Jahr nun wurde ich in die Fraßabteilung versetzt. Zwar durfte ich auch hier die Wunden der Dupliks versorgen, aber ich war auch dabei, wenn ihnen diese Wunden zugefügt wurden. Mein Verdrängungssystem zerbröckelte.

Zudem wurde ich von meinem Sohn S. heftig angegriffen. Er las mir Artikel von Ihnen vor, er beschimpfte mich als Mörderin. Ich hatte einen Nervenzusammenbruch, wollte schon einen Antrag auf Frührente stellen. Doch da war es S., der mir klarmachte, dass ich mich so nicht aus der

Affäre ziehen dürfe. Damit wäre keinem einzigen Duplik geholfen.

Wir überlegten beide lange, was wir unternehmen könnten. Ich möchte, dass alle Menschen erkennen, dass die Dupliks auch Menschen sind und keine fremdartigen Lebewesen. Aber kein Medium würde meine Erfahrungen veröffentlichen; es wäre sofort seine Lizenz los. Und ich wäre im Gefängnis wegen Verletzung meiner Schweigepflicht.

Nun, das Gefängnis schreckt mich nicht mehr. Aber ich will keine sinnlose Märtyrerin sein. Ich will etwas erreichen!

Liebe Frau Helcken, ich schreibe Ihnen das alles so ausführlich, weil ich glaube, dass wir beide zusammen etwas für die Dupliks erreichen können. Ich habe da einen Plan, den kann ich aber hier nicht erläutern, da ich nicht sicher sein kann, ob dieser Brief nicht doch von Unbefugten entdeckt wird. Ich werde Ihnen in den nächsten Tagen eine Nachricht mit den näheren Einzelheiten meines Plans zukommen lassen.

Ich hoffe sehr auf eine Zusammenarbeit mit Ihnen!

Mit aufrichtigem Gruß,
eine Frau

Jonas legt den Brief aus der Hand.

»Und was ist das nun für ein Plan?«

»Genau um das rauszukriegen, brauchen wir dich.«

»Wieso denn ausgerechnet mich?«

»Hör zu! Gestern, als ich von der Redaktion nach Hause ging, lief ein junger Mann neben mir her und sagte: ›Sie haben Ihre Geldkarte verloren!‹ Dabei drückte er mir etwas in die Hand, das von Weitem tatsächlich so aussah. Es war aber eine Spielgeldkarte. Hier!«

Ilka gibt Jonas die Karte. Jonas betrachtet sie misstrauisch. Widerwillig liest er die auf den Rand gekritzelten Informationen.

»Ihr Bruder und mein Sohn (beide gelten als unverdächtig und werden wohl nicht überwacht) sollen sich am Dienstag um 12.30 Uhr in der Mensa treffen. Erkennungszeichen: ein Skript ›Chirurgie der oberen Extremitäten‹. Mein Sohn wird sich zu ihm setzen. Nach einem unverbindlichen Gespräch über Studienfragen soll Ihr Bruder meinen Sohn zum Kaffeetrinken in seine Wohnung einladen (natürlich nur, wenn Sie keine Hinweise haben, dass auch seine Wohnung abgehört wird). Dort wird S. Ihnen weitere Informationen zukommen lassen.«

Was, um alles in der Welt, soll das? In was will Ilka ihn da reinziehen? Er kann sich an zehn Fingern abzählen, dass der Plan, von dem die

Frau spricht, auf etwas Illegales hinausläuft. Wozu sonst ihr konspiratives Getue?

»Also, ich denke gar nicht daran, bei so einer windigen Sache mitzumachen!«

Jonas gibt seiner Schwester den Brief und die Spielgeldkarte zurück.

»Mensch, Jonas, siehst du denn nicht die ungeheure Chance? Was haben wir bisher nicht alles versucht, um Kontakt mit jemandem herzustellen, der direkt mit den Dupliks zu tun hat. Nichts! Eine Mauer des Schweigens! Und jetzt kommt eine Fachkraft für Duplikologie von selbst auf uns zu. Das ist wie im Märchen!«

»Mir scheint das eher eine Wildweststory zu sein! Du vergisst, dass ich mit eurer Lebensschützergruppe nichts zu tun habe ... und auch nichts zu tun haben will! Und außerdem ... wenn das nun eine Falle ist?«

»Nein, das glaube ich einfach nicht. Der Brief ist echt. Das sagt mir mein Gefühl.«

»Dein Gefühl! Du kommst manchmal mit Kategorien! Genau wie diese geheimnisvolle Frau. Wilde Schwangerschaft. Ich bitte dich! Schließlich leben wir nicht mehr im ausgehenden Industriezeitalter, wo es noch Wildwuchs jeglicher Art gab. Wirtschaftlichen, pflanzlichen, tierischen und sogar menschlichen. Gut, die Menschen damals hatten noch nicht die Möglichkeiten einer strukturalistischen Gesellschaft und mussten vieles dem Zufall überlassen.

Aber wie kann eine Frau es heute noch verantworten, ein möglicherweise behindertes Kind in die Welt zu setzen? Das begreife ich einfach nicht.«

»Ihr Sohn ist auch mit Kunstzähnen ein glücklicher Mensch. Du hast es doch gelesen.«

»Über so was rede ich doch gar nicht. Wenn er nun eine Spina bifida gehabt hätte? Querschnittsgelähmt von Geburt an? Oder das Downsyndrom? Mongoloid haben sie früher diese schwachsinnigen Kinder genannt. Wäre er dann auch ein glücklicher Mensch? Und die Kosten, die der Gesellschaft dadurch entstanden sind! Du weißt selbst, wie hoch die Mutationsrate durch die radioaktive Belastung in den letzten Jahrzehnten geworden ist. Ich finde es jedenfalls völlig in Ordnung, dass wilde Schwangerschaften heute praktisch unmöglich geworden sind, seit alle Männer mit achtzehn Jahren sterilisiert werden.«

Ilka stemmt die Hände in die Hüften: »Ja, und dann wird das Kind im Reagenzglas hergestellt, aus dem kryokonservierten und geprüften Sperma und dem ebenfalls geprüften Ei. Der entstandene Embryo wird noch mal genetisch gecheckt und schließlich der biologischen oder einer Leihmutter eingespült, während der Schwangerschaft ständig weiter kontrolliert, bis das Wunschkind endlich auf der Welt ist. Toll, kann ich nur sagen, wirklich toll!«

»Warum sagst du das so zynisch? Was ist falsch daran, nur möglichst gesunde Kinder zur Welt kommen zu lassen? Denkst du vielleicht auch mal an all das Leid, das eine schwere Krankheit oder Behinderung für das Kind und die Eltern bedeutet?«

»Falsch finde ich, dass die Gesellschaft bestimmt, wer ein Lebensrecht hat und wer nicht. Und die Maschen werden ja immer enger gezogen. Eltern dürfen sich gar nicht mehr *für* ein behindertes Kind entscheiden. Ein Embryo, der nicht der DIN-Norm entspricht, ist nur noch gut für die verbrauchende Forschung. Und die supergesunden DIN-A1-Babys? Wie lange bleiben sie denn gesund in unserer krank machenden Welt? Ist dir schon mal aufgefallen, dass heute vor ihrem ersten Geburtstag doppelt so viele Kinder sterben wie *vor* Einführung der vorgeburtlichen Prüfungen? Der Krebs bei Kleinkindern nimmt ständig zu und allein der Herpes infantilis rafft zwei Prozent der Neugeborenen in den ersten Lebenswochen dahin!«

»Damit sagst du mir nun wirklich nichts Neues. Das liegt aber daran, dass wir bisher weder gegen den Krebs noch gegen das Herpesvirus ein wirksames Mittel gefunden haben.

Auch die Suche nach einer genetisch bedingten Anfälligkeit ist bislang erfolglos geblieben. Hier brauchen wir *mehr* Anstrengungen in

Richtung Erforschung der menschlichen Gene und nicht weniger!

Du kannst doch nicht leugnen, dass es ein Fortschritt ist, wenn nur Menschen geboren werden, die den Belastungen optimal gewachsen sind. Wenn man – um nur ein Beispiel zu nennen – Allergikern immer noch erlauben würde, sich fortzupflanzen, wären wir heute ein Volk von Invaliden! Mensch sein, das heißt doch gerade eingreifen können, verändern können. Und nicht nur die Natur, sondern auch sich selbst. Der Mensch kann nicht die ganze Welt gestalten, aber sich selbst unangetastet lassen. Dann wird er zum Fossil in der von ihm geschaffenen Wirklichkeit. Er muss sich der Dynamik anpassen. Ein Zurück gibt es nicht. Oder möchtest du erst wieder in einem dicken Buch blättern müssen, wenn du mit jemandem telefonieren willst? Oder bloß, weil du Musik hören willst, schrankweise Kassetten oder – wie hießen die Dinger noch . . .?«

»Meinst du CDs?«

»Ja, CDs aufbewahren müssen? Also, ich kann mir ein Leben ohne Homecomp einfach nicht mehr vorstellen. Ob ich ein bestimmtes Buch haben will – in fünf Minuten hat er es mir ausgedruckt; oder wenn ich Musik hören will: einfach den Titel eintippen und schon tönt es aus den Boxen. Wenn ich um Mitternacht ein Pfund Weintrauben haben will – eintippen und in spätestens einer halben Stunde werden sie geliefert. Stell dir vor, wie viel Zeit die Leute früher allein mit Einkaufen verschwendet haben! Möchtest du dahin zurück? Zurück in die Steinzeit?«

»Pah, Steinzeit! Ich würde liebend gern zwei Stunden am Tag einkaufen gehen.«

»Das glaubst du doch selbst nicht! Du hast doch so schon nie Zeit!«

»Eben! Trotz all der Zeitersparnis haben wir immer weniger Zeit. Ist das nicht paradox? Ich stelle es mir jedenfalls richtig gemütlich vor, durch so einen Supermarkt zu schlendern. Da hatten die Leute doch noch direkten Kontakt miteinander. Aber heute kann ich ja nur noch per Homecomp bestellen. Und das nennt sich dann Freiheit!«

»Du bist und bleibst eine hoffnungslose Romantikerin. Möchtest du 'nen Kaffee?«

»Endlich mal ein vernünftiges Wort von dir.«

Ilka lacht und Jonas tippt »4 Tassen, stark« in den Homecomp, der die Kaffeemaschine in Betrieb setzt.

Als die Geschwister sich mit einer Tasse in der Hand gegenübersitzen, schaut Ilka Jonas fragend an.

Verdammt, Ilkas Argumenten standzuhalten ist leichter als ihrem Blick.

»Ich überleg mir die Sache bis übermorgen. In Ordnung?«

»Ich hab schon besseren Kaffee bei dir getrunken. Du musst mal das Entkalkungsprogramm durchlaufen lassen.«

Jonas ist froh, als er wieder allein ist und in Ruhe nachdenken kann. Soll er zu diesem sonderbaren Treffen gehen? Diese elende Duplikfrage! Wenn er doch nur mit jemandem außer Ilka darüber sprechen könnte. Jemand, der nicht so voreingenommen ist.

Natürlich! Mehmet! Sein Freund Mehmet ist genau der Richtige.

Mehmet hat ihm immer geholfen, wenn er mit irgendetwas nicht klarkam. Mit diesen entsetzlichen Pflichtarbeiten in Biochemie damals zum Beispiel. Und Jonas hat an dem Freund immer dessen entschiedene Positionen in allen politischen und moralischen Fragen bewundert. Mehmet würde ihm auch zur Duplikfrage einen wohldurchdachten Rat geben können.

Jonas springt auf und ruft seinen ehemaligen Schulkameraden an.

»Hier Mehmet Lewald. Ich bin da. Bitte sprechen Sie!«

»Hallo, Mehmet. Hier ist Jonas. Ich würd dich gern mal wieder sehen. Kann ich vorbeikommen?«

Jonas wartet. Er weiß, dass Mehmet jetzt seine Antwort eintippt.

Nach einer Weile ertönt die monotone Computerstimme: »Hallo, Jonas. Ich freue mich auf deinen Besuch. Wenn du magst, kannst du gleich kommen.«

»Ja, toll! Dann bin ich in ’ner halben Stunde bei dir.«

»Auf Wiederhören. Vielen Dank für deinen Anruf.«

Mehmet

Jonas fährt mit der City-Bahn und klingelt nach zwanzig Minuten an Mehmets Tür, die sich automatisch öffnet.

»Hallo, ihr beiden!«, grüßt er, als er in der geräumigen Wohnung Mehmet und seinem Pfleger Max gegenübersteht. Mehmets Aussehen erschreckt ihn. Seine Haut ist fahl, sein Kopf wird an beiden Seiten von Metallschienen abgestützt, er lächelt nicht.

Offenbar ist er nicht mehr in der Lage, seine Gesichtsmuskeln zu beherrschen. Aber die Finger der linken Hand kann er noch bewegen. Er tippt »Hallo, Jonas. Ich freue mich, dich zu sehen!« in den Sprachcomputer, der die Worte akustisch umsetzt.

Max entschuldigt sich und geht in die Küche. Mehmet dirigiert seinen Rollstuhl an den Wohnzimmertisch. Für Jonas ist schon eine Kanne Kaffee vorbereitet. Jonas setzt sich und schenkt sich eine Tasse ein, obwohl er eigentlich keinen Kaffeedurst mehr hat.

»Ich stör dich hoffentlich nicht bei der Arbeit?«

»Störungen bei der Arbeit sind mir immer willkommen.«

Jonas muss sich erst wieder an die monotone Sprachwiedergabe gewöhnen. Dass man es immer noch nicht geschafft hat, eine Computerstimme mit einer halbwegs natürlichen Modulation zu entwickeln!

»Ach komm, tu nicht so! Ich weiß doch, wie fleißig du bist. Woran arbeitest du denn zurzeit?«

»Bildschirm!«

Jonas schaut auf den Bildschirm und liest:

»Cri-du-chat-Syndrom. Auswertung der Laborversuche 24–29.«

»Cri-du-chat? Ist das diese Krankheit, bei der die Babys wie junge Katzen schreien? Was für ein lyrischer Name für eine schreckliche Erbkrankheit! Es ist wirklich ein Segen, dass seit Einführung der Pflicht zur Reagenzglasbefruchtung alle diese Krankheiten ausgerottet sind! Embryonen mit solchen Schädigungen werden ja gar nicht mehr eingespült.«

»Aber die Altlasten! Wie viele Menschen leben noch mit dem Cri-du-chat-Syndrom, mit

Mongolismus und ähnlichen Erbkrankheiten. Natürlich sagen viele, das Problem stirbt mit den betroffenen Personen aus. Wozu noch Forschungsgelder investieren? Aber diese Haltung finde ich zutiefst inhuman. Zudem uns seit der bahnbrechenden Arbeit von Marie Dulat erste Erfolge auch bei Erwachsenen gelungen sind. Beim Cri-du-chat-Syndrom z. B. fehlt ein Arm des Chromosoms Nr. 5. Jetzt können wir durch Transmitter-Viren einen Stoff in die Zellen schleusen, der das Vorhandensein dieses fehlenden Arms vortäuscht. Ist das nicht genial? Eine perfekte Überlistung der Natur! Die Patienten verlieren schon nach kurzer Zeit viele Symptome ihrer Krankheit. Du musst es einmal gesehen haben! Vor ein paar Wochen bekam ich das Video von einer dreißigjährigen Patientin eingespeist, vor und nach der Behandlung. Es war wie das Erwachen des Geistes aus tiefster Umnachtung. Die Menschwerdung einer miauenden Zellansammlung!«

Trotz der gefühllosen Computerstimme spürt Jonas Mehmets Begeisterung. Er wagt die Frage:

»Und bei der Muskeldystrophie?«

Mehmets Augen verdunkeln sich.

Jonas weiß, dass sein fünf Jahre älterer Schulkamerad sich schon früh in seinem Medizinstudium auf die Behandlung genetisch bedingter Erkrankungen spezialisiert hat, denn Mehmet ist selbst das Opfer einer wilden Schwangerschaft. Seine Mutter hatte die seinerzeit nur angebotene – aber nicht zur Pflicht gemachte – Genom-Analyse abgelehnt. Als Mehmet vier Jahre alt war, zeigten sich bei seinem älteren Bruder die ersten Anzeichen der unheilbaren Muskeldystrophie vom Typ Duchenne, einer Krankheit, die zu fortschreitendem Muskelschwund und in der Regel zwischen dem zehnten und zwanzigsten Lebensjahr zum Tode führt. Als diese Diagnose gestellt wurde, war Mehmets jüngerer Bruder gerade neun Wochen alt. Mehmets Mutter verfluchte sich, dass sie auf eine Genom-Analyse verzichtet hatte. Allen drei Söhnen hatte sie diese schreckliche Krankheit vererbt, die von Frauen weitergegeben wird, aber nur bei deren Söhnen ausbricht. Sie wusste, dass ihr in der Zukunft das Siechtum und der frühe Tod ihrer Söhne bevorstand. Dennoch verzweifelte sie nicht und sie brachte sich auch nicht um wie Mehmets Vater, der allen Lebensmut verloren hatte. Sie schenkte ihren Söhnen all ihre Liebe und ihre Kraft, versuchte deren begrenztes Leben so erlebnisreich wie möglich zu gestalten und ihnen trotz allem ein Gefühl der Dankbarkeit für die geschenkte Lebensspanne zu vermitteln.

Mehmet hat den qualvollen Tod seines älteren Bruders miterlebt. Und auch sein jüngerer Bruder ist nicht mehr am Leben. Ihm hatte die Ethikkommission auf Mehmets Antrag im

Endstadium einen Todesautomaten zur Verfügung gestellt.

Kurz danach war die Lebenskraft seiner Mutter verbraucht. Sie ging eines Abends ins Bett und wachte nicht wieder auf.

Mehmet lebt – allen ärztlichen Prognosen zum Trotz – mit zweiunddreißig Jahren noch immer. Nach seinem Studium bekam er eine Stelle zur Auswertung von Laborversuchen, eine Arbeit, die er mithilfe seines Pflegers und des direkten Anschlusses an den Institutscomputer zu Hause erledigen kann.

Mehmet tippt seine Antwort auf Jonas' Frage nach Behandlungsmöglichkeiten bei der Muskeldystrophie Duchenne ein:

»Es wird so gut wie gar nichts für die Erforschung von Therapiemöglichkeiten getan. Die Anzahl der noch lebenden Muskeldystrophiker ist zu gering. Bald wird es solche elenden Kreaturen wie mich sowieso nicht mehr geben.«

»Mehmet! Bitte sprich nicht so! Du weißt, wie sehr ich dich schätze!«

»Danke. Das weiß ich. Aber ich schätze meine Krankheit nicht.«

Bevor Jonas die richtigen Worte findet, um seinem Bedauern Ausdruck zu verleihen, ertönt wieder der Computer:

»Zum Glück akzeptiert die Bevölkerung die genetische Auslese erheblich mehr, seit wir so erfolgreich die Geburt schwer kranker Kinder verhindern können.«

»Ja, aber es gibt immer noch Gegenstimmen. Vor allem natürlich von denjenigen, deren Erbanlagen mangelhaft sind.«

Jonas denkt an S., den Sohn der unbekannten Briefschreiberin, und fährt fort: »Manche wollen sich eben nicht der Ei- und Samenbank bedienen, sondern partout ihre eigenen Erbanlagen weitergeben.«

»Du hast recht. Das Problem darf man nicht auf die leichte Schulter nehmen. Es ist ein ständiges Unruhepotenzial. Darum sind die Experimente zur Keimbahntherapie auch so wichtig. Bald werden wir so weit sein, ein fehlerhaftes Gen ersetzen zu können. Dann steht wieder jedem die Fortpflanzung offen.«

»Bist du nicht auch Mitglied einer Ethikkommission zur Erteilung von Fertilisationskarten?«

»Ja, der Verband der Schwerbehinderten hat mich als Vertreter nominiert. Aber ich bin es ziemlich leid. Ewig geht es um die Erteilung von Sondergenehmigungen.«

»Werden denn so viele Anträge gestellt?«

»Wir können sie gar nicht so schnell bearbeiten! Du weißt vielleicht, dass für alle Defekte, die operativ behebbar sind, wie zum Beispiel Lippen-Kiefer-Gaumenspalten, oder die medikamentös-diätisch unterdrückt werden können, nur ein eingeschränktes Fortpflanzungsverbot besteht. Wenn sich die Merkmalsträger zur Übernahme aller Kosten für die Behandlung bei ihrem zu zeugenden Kind verpflichten und im Voraus eine entsprechende Summe hinterlegen, können sie eine Sondergenehmigung bekommen.

Und das ist etwas, was mich wurmt! Dass die Reichen sich wieder etwas leisten können, wozu ein armer Schlucker nicht in der Lage ist. Darum: Die Keimbahntherapie bringt die Lösung! Dann kann wieder jeder gesunde Nachkommen haben, die von ihm selbst abstammen.«

Die Tür zur Küche wird geöffnet und ein herrlicher Duft zieht in Jonas' Nase. Max kommt herein.

»Möchtest du mitessen, Jonas? Ich hab Hühnerbrust auf Spinat gemacht. Auf indische Art, mit Ingwerreis.«

»Hmm, lecker. Ja, gern.«

Wenig später genießt Jonas das Essen, während Max Mehmet füttert.

Nachdem auch Max gegessen hat, hilft Jonas ihm, das Geschirr in die Küche zu bringen.

»Das hat wirklich toll geschmeckt, Max. Wie kommt es, dass du so tolle asiatische Gerichte kochst?«

»Das hat Mehmet mir beigebracht. Seit seiner Asienreise hat er eine Vorliebe für diese Gerichte.«

Jonas erinnert sich, dass Mehmet gleich nach dem Abitur eine Reise nach Indien und Tibet gemacht hatte. Er wusste wohl, dass er dazu später nicht mehr in der Lage sein würde. Damals war er zwar schon seit Langem auf einen Rollstuhl angewiesen, aber er konnte noch seine Arme bewegen, konnte sprechen und musste nicht immer wieder künstlich beatmet werden.

»Wie geht es ihm eigentlich so?«, fragt Jonas.

»Nicht besonders. Er hat immer wieder Fieber oder seine Atemmuskulatur erschlafft völlig. Heute hat er einen sehr guten Tag.«

»Wenn man doch nur etwas für ihn tun könnte!«

Max zuckt die Achseln und fängt an, das Geschirr in die Spülmaschine zu stellen. Da Jonas weiß, wie sehr Max an Mehmet hängt, deutet er diese Geste nicht als Gleichgültigkeit, sondern als verzweifelte Hilflosigkeit. Er geht zurück zu Mehmet.

»Zündest du mir eine Zigarette an?«

Jonas nimmt eine Zigarette aus dem Päckchen, zündet sie an und steckt sie Mehmet in den Mund.

Dass Mehmet immer noch raucht, obwohl er doch die Gefahr für seine besonders anfällige Lunge kennt!

»Sag mal, weswegen ich hauptsächlich hergekommen bin ... Was hältst du eigentlich von der Duplikhaltung? Du beschäftigst dich doch so intensiv mit ethischen Fragen.«

Jonas blickt Mehmet gespannt an. Der lässt mit seiner Antwort nicht auf sich warten.

»Nichts!«

»Nichts?«

»Ich bin Genetiker. Und für mich zählt ausschließlich die Tatsache, dass ein Duplik dasselbe Genom hat wie sein Mensch. Er ist nichts anderes als ein künstlich erzeugter Zwilling.«

»Aber was einen Menschen zum Menschen macht, das sind doch nicht nur seine Erbanlagen! Das ist nur die Grundlage. Die eigentliche Menschwerdung entsteht erst durch die Sozialisation, durch Erziehung, Medien, Einflüsse der Freunde und all das.«

»Auch Dupliks werden sozialisiert.«

»Aber ganz anders!«

»Dann sind sie eben anders sozialisierte Menschen, aber doch Menschen.«

»Das widerspricht aber völlig der herrschenden Lehrmeinung!«

»Ich habe das Recht auf meine eigene Meinung. Und in meinen Augen ist das Gerede von der wesensmäßigen Andersartigkeit der Dupliks hohles Geschwätz; eine gigantische Vernebelungsaktion. Warum werden sie denn so abgeschottet von der Öffentlichkeit? Zu ihrem Schutz? Dass ich nicht lache!«

»Verblüffend, dass gerade du so etwas sagst.

Wenn meine Schwester ... ich meine, wenn die Lebensschützer ...«

»Die sind einfach für alles, was lebt, ohne Unterschied. Das bin ich absolut nicht. Es gibt eindeutig eine Werteskala des Lebenden. Kein Lebensschützer soll mir erzählen, dass es ihm nicht schwerer fallen würde, einen Affen zu töten als eine Fliege!

Und was die Menschen angeht: Wenn trotz aller Vorsorge ein schwer behindertes Neugeborenes zur Welt kommt – was ist falsch daran, es zu töten und vor einem Dahinvegetieren zu bewahren? Früher war das gesetzlich verboten – mit dem Erfolg, dass Ärzte und Eltern dem Kind medizinische Hilfe verweigerten, sodass es auch starb. Nur viel qualvoller als durch eine Giftinfusion. Das Verbot war die Theorie, aber das Sterbenlassen war die Praxis. Mit einem Wort: Heuchelei! Das ist für mich keine ethische Haltung. Was jedoch die Dupliks angeht: Ein Duplik ist ein vollkommen gesundes, normales, denkendes und Schmerz empfindendes Wesen. Ihn zu töten ist ein Verbrechen!«

Jonas schweigt. Dann fragt er zögernd, obwohl er sich die Antwort denken kann: »Und ihm die Augen zu nehmen?«

»Ein Verbrechen!«

Warum muss nur alles so kompliziert sein, verdammt noch mal!

Als könne er Gedanken lesen, ergänzt Mehmet: »Die einfachen Antworten sind immer die falschen.«

Jonas schaut ihn nachdenklich an. Er bewundert ihn. Er an Mehmets Stelle wäre schon längst verrückt geworden. Zwei Brüder sterben sehen und selbst den sicheren Tod vor Augen – wie kann man das ertragen – und dabei noch die Kraft haben für eine komplizierte Arbeit und die Auseinandersetzung mit politischen und moralischen Fragen?

»Das Gespräch mit dir hat mir sehr geholfen, Mehmet.«

»Ich weiß zwar nicht, warum, aber wenn ich dir mal bei irgendetwas helfen kann, ich tue es gern.«

Jonas weicht Mehmets Blick aus. Ahnt der etwas? Am liebsten würde er ihm die ganze Geschichte anvertrauen. Aber nein, lieber nicht. Je weniger Mitwisser es gibt, umso besser.

Jonas verabschiedet sich und geht die wenigen Schritte zur City-Station. Er freut sich an der sommerlichen Luft, an der Sonne, ohne gleich an Hautkrebs zu denken, freut sich an seinen eigenen Schritten. Einen Moment schließt er die Augen. So wäre es, wenn ich blind wäre. Schnell öffnet er sie wieder. Er sieht einen Haufen Plastikmüll direkt neben einem Recyclingkorb.

Er freut sich, dass er ihn sieht.

Der Plan

Jonas nagt an einer zähen Hähnchenkeule. Gut, dass er sonst nicht auf das Mensaessen angewiesen ist! Er ordert seine Mahlzeiten bei Helcken-High-Class, einer Filiale seines Vaters, die nur Lebensmittel der A-Kategorie führt.

Aber auch die zäheste Keule ist einmal verzehrt und Jonas starrt zum Eingang. Wann kommt dieser S. denn endlich? Fetzen des Albtraums der vergangenen Nacht tauchen wieder auf: Unauffällig gekleidete Menschen hatten sich auf ihn gestürzt, um ihn zu verhaften.

Verstohlen blickt Jonas sich um. Sieht einer der Essenden wie ein Staatsvoyeur aus? Aber er kann keinen Verdächtigen entdecken. Alle sehen aus wie typische Studenten. Zu typisch? Sie schlingen das Essen hinunter und an allen Tischen wird heftig über das neue Gesetz diskutiert, das die Beherrschung von zwei Programmiersprachen zur Studienvoraussetzung auch für geisteswissenschaftliche Fächer macht.

Jonas fängt an, in den »Prüfungsfragen zur Chirurgie der oberen Extremitäten« zu blättern. Aber genauso gut könnte er chinesische Schriftzeichen lesen. Sein Kopf nimmt nichts auf. Dabei ist er sonst an allem interessiert, was sein Fachgebiet betrifft. Es gibt noch so viele ungelöste Probleme in der Medizin. Wenn er doch nur eins davon lösen könnte. Einen Impfstoff gegen das Herpes-infantilis-Virus finden, zum Beispiel. Sich ganz einer Aufgabe widmen. So wie Mehmet.

Lange kann er nicht mehr vor dem Teller mit dem abgenagten Hähnchenbein sitzen bleiben, ohne aufzufallen.

Eigentlich haben es die Dupliks doch gut. Ihre Existenz hat einen klar umrissenen Sinn. Und seine? Die Freiheit, wie es so schön heißt. Aber wie kann Freiheit ein Sinn sein? Andere sagen: Du musst den Sinn in *dir* finden. Wie kann der Sinn seiner Existenz in seiner Existenz liegen? Zirkelschluss! Und selbst wenn er eine bahnbrechende medizinische Entdeckung machen würde, gäbe das seinem Leben tatsächlich einen Sinn? Einen Zweck höchstens. Also kann er sich genauso gut mit der Lösung von Sachaufgaben beschäftigen? Die Nervenstränge des Oberarms liegen parallel . . . Wie? Ach ja, das ist gut. Das ist konkret.

Diese dummen Sinnfragen? Seit Menschengedenken unbeantwortet. Oder durch etwas Übersinnliches verschleiert. Warum können Menschen fragen, wenn sie die Antwort nicht finden können? Da haben es die Tiere besser. Die können wenigstens nicht fragen. Oder die Dupliks. Die haben eine Antwort. Oder? Aber sie alle werden von uns beherrscht. Ihr Leben hängt von uns Menschen ab.

Jonas hat einen Unfall und sein Duplik erblindet. Was denkt der darüber? Wenn er ihn doch nur einmal sprechen könnte! Und der Plan ... auf was lässt er sich da bloß ein? Ach, vielleicht kommt dieser S. ja gar nicht mehr. Hat kalte Füße gekriegt. Jonas beschließt, in fünf Minuten zu gehen. Von dieser Aussicht erleichtert, beginnt er sich jetzt tatsächlich in die Prüfungsaufgaben zu vertiefen. Und so erschrickt er, als plötzlich ein junger, dunkelhaariger Mann neben ihm steht und ihn anspricht: »Hallo, Jonas, trifft man dich auch mal wieder?«

Nach einer Schrecksekunde blickt Jonas den Fremden freundlich an.

»Hallo, setz dich doch! Ich war ein paar Wochen im Krankenhaus. Böser Unfall, weißt du ...«

Das Rollenspiel klappt perfekt. Niemand scheint sich um sie zu kümmern. So lädt Jonas den Fremden bald in seine Wohnung ein, um das unsinnige Gespräch beenden zu können.

Hier stellt sich S. als Simon vor. Jonas bittet ihn, Platz zu nehmen, und lässt die Kaffeemaschine anstellen.

Die beiden sitzen sich gegenüber, mustern sich und suchen den Übergang von dem belanglosen Geschwätz zu ihrem eigentlichen Anliegen. Schließlich holt Simon aus seiner Tasche ein handgeschriebenes Skript und legt es zwischen die Kaffeetassen.

»Von meiner Mutter.«

Jonas nimmt es in die Hand und liest: »Duplikhaltung. Ausführliche Informationen«.

»In diesem Skript hat meine Mutter alles aufgeschrieben, was sie über die Dupliks und ihre Behandlung weiß. Auch ihre persönlichen Erfahrungen. Ihr solltet es aufmerksam lesen. Aber bitte gib es nur denjenigen aus der Gruppe, die absolut zuverlässig sind.«

»Es ist nicht *meine* Gruppe«, antwortet Jonas patzig, »ich habe mich nur bereit erklärt, den Kontakt herzustellen.«

Simon verzieht keine Miene.

»Natürlich. Wenn du in der Gruppe schon aktiv geworden wärest, würden wir jetzt hier nicht unbelauscht sprechen können. Aber – du sympathisierst mit der Sache, oder?«

»Sympathisieren? Vielleicht. Ich möchte erst mal mehr wissen. Offizielle Stellungnahmen bestehen zum größten Teil aus ethischen Rechtfertigungen. Aber konkrete Informationen bekommt man kaum. Von daher bin ich sehr interessiert an dem Skript deiner Mutter.«

»Ja, lies es. Ich denke, jeder Mensch, der nicht schon völlig abgestumpft ist, wird erkennen, dass den Dupliks schreiendes Unrecht geschieht, wenn er Genaueres über sie erfährt.«

»Du findest also auch, dass man sie wie Menschen behandeln sollte?«

»Es *sind* Menschen! Und ich finde, dass es sie

gar nicht geben sollte. Das Produzieren von Dupliks müsste sofort gestoppt und die schon vorhandenen Dupliks befreit werden.«

»Die Forderung erheben die Lebensschützer schon seit Jahrzehnten. Und werden nur belächelt.«

»Weil die Menschen so fantasielos sind. Man müsste ihnen die Möglichkeit zur Verdrängung rauben. Sie müssten selbst erleben, dass ein Duplik ein Mensch ist – genau wie sie.«

»Und wie soll das gehen?«

»Man müsste einen Duplik befreien und ihn der Öffentlichkeit vorführen.«

Jonas zuckt zusammen. Darauf also läuft der Plan hinaus! »Also, es tut mir leid. Wenn ihr an so etwas denkt, deine Mutter und du, dann seid ihr von allen guten Geistern verlassen. Ich kenne zwar nicht die Einzelheiten, aber eins ist sicher: Es ist völlig ausgeschlossen, dass ein Duplik aus seinem Hort herauskommt, es sei denn, er ist tot.«

»Meine Mutter kennt das Sicherungssystem sehr genau und wir haben in nächtelangen Diskussionen eine Lücke gefunden.«

Jonas starrt Simon entsetzt an. Offenbar meint der es ernst. Während er sich Kaffee nachschenkt, fragt er mit möglichst unbeteiligter Stimme: »Welche Rolle soll meine Schwester in eurem Plan spielen?«

»Eine wichtige. Sie hat die Beziehungen zu

vielen Medien. Sie muss für die Öffentlichkeitsarbeit sorgen. Die wichtigste Rolle in unserem Plan spielst aber du.«

Jonas traut seinen Ohren nicht. Jetzt ist dieser Simon völlig durchgedreht. Hat er ihm nicht gleich klargemacht, dass er nur den Kontaktmann mimt und mehr nicht?

Betont lässig sagt er: »Das ist ja äußerst interessant. Und wieso ich, wenn man fragen darf?«

»Weil wir *deinen* Duplik befreien wollen. Jonas 7, demnächst auf Station 3 zum Einsatz eines Augenimitats, gepflegt von meiner Mutter – Anna Mirdal.«

Jonas bleibt die Luft weg. Er versucht die Sache abzuwehren, indem er den Plan für undurchführbar erklärt. Doch Simon hat auf alle Einwände eine Antwort, hat alles, was passieren könnte, bereits bedacht.

Zum Schluss muss Jonas eingestehen: Es könnte so gehen. Aber auch: Es kann nur mit ihm gehen. Der ganze Plan steht und fällt mit seiner Beteiligung.

Simon trinkt seinen Kaffee aus und verabschiedet sich mit den Worten: »Du hast ja noch ein paar Tage Zeit, es dir zu überlegen.«

Jonas schaut auf das Skript, das Simon auf seinem Tisch zurückgelassen hat. Nein, es ist kein Traum. Ihm wird schwarz vor Augen. Er setzt sich hin. Eine Zeit lang herrscht in seinem Kopf eine wohltuende Leere.

Doch plötzlich hört er Stimmen: seinen Vater, Mehmet, Ilka, seinen Ethiklehrer, Simon – alle schreien durcheinander. Jeder versucht den anderen zu übertönen.

Jonas schlägt mit der Faust auf den Tisch.

Aufhören, aufhören, verdammt noch mal!

Er greift zu dem Skript und schlägt es auf ... Er überblättert die Kapitel Organisation des Hortes Nordmark III, das Sicherheitssystem, die Ausbildung der Fachkräfte und beginnt mit dem Kapitel: Zum Beispiel Jonas 7.

»Als Jonas 7 zu uns ins Kinderhaus kam, war er eine Woche alt. Als Baby war er problemlos und pflegeleicht. Aber als Kleinkind musste er öfter mit Medikamenten beruhigt werden. Ohne erkennbaren Anlass schmiss er sich auf den Boden und riss sich Haare aus. Andererseits war er sehr anhänglich, saß auch als Sechsjähriger noch auf meinem Schoß. Er versuchte ständig meine Aufmerksamkeit auf sich zu ziehen, und obwohl ich natürlich streng darauf achtete, alle Kinder gleich zu behandeln, gelang es ihm doch immer wieder, eine Extraeinheit Beachtung zu ergaunern. Er war außerordentlich neugierig und lernwillig, hatte aber Mühe, gegebene Grenzen zu akzeptieren. Als er älter wurde, zog er sich immer mehr in sich selbst zurück. Er ging jedem Streit aus dem Weg und beschäftigte sich ausdauernd mit Basteleien, insbesondere erstellte er

Unmengen skurriler Fantasiegestalten aus Knetmasse.«

Jonas schlägt das Skript zu, steht auf und geht in seinen Schlafraum. Auf dem Bord über seinem Bett stehen mehrere Tonfiguren in verschiedenen Größen und Glasierungen. »Skurrile Fantasiegestalten«, hat Anna Mirdal geschrieben. Genau das sind sie, diese wenigen Überbleibsel aus seiner Kindheitsproduktion. Nachdenklich nimmt er eine dieser Figuren in die Hand, ein dickbäuchiges hellgrünes Wesen mit zwei Köpfen und Tentakelaugen. Fremdartig, aber ihm dennoch vertraut.

Eins ahnt er jetzt: Jonas 7 ist *kein* fremdartiges Wesen.

Die Leiterin

Dr. Hellmann schließt die Überprüfung der Unterlagen für das Führungsgremium Nord I ab. Es ist alles gespeichert; die wichtigsten Daten sind – didaktisch aufbereitet – abrufbar. Sie hat sich gründlich auf die morgige Sitzung vorbereitet. Im nächsten Monat sind Vorstandswahlen und sie macht sich berechtigte Hoffnungen auf den Posten der stellvertretenden Vorsitzenden. Aber noch sind nicht alle Hürden genommen.

Die Gruppe der Minimalisten im Führungsgremium ist zwar mittlerweile in der Minderheit, aber noch sehr einflussreich. Diese Gruppe, deren Hauptanliegen es ist, die Kosten für die Duplikhaltung so gering wie möglich zu halten, hat ihr in der Vergangenheit schon oft Schwierigkeiten gemacht. Viele Reformpläne musste sie gegen ihren Widerstand durchsetzen, da anfängliche Kostensteigerungen unumgänglich waren. Doch der Erfolg gibt ihr recht. Allein seit Einführung der Beschäftigungsangebote und des Wohnens in Kleeblättern ist die Ausschussrate in ihrem Hort um 9,3 Prozent zurückgegangen.

Bewährt hat sich auch die sehr simple und kostenneutrale Methode, männliche Dupliks nur von Frauen und weibliche nur von Männern betreuen zu lassen. Der dadurch augenfällige Unterschied lässt Zweifel der Dupliks an ihrer Andersartigkeit gegenüber den Menschen nicht so leicht aufkommen, führt also dazu, dass sie ihre Situation leichter akzeptieren.

Als geradezu unumgänglich hat sich die hormonale Therapie zur Unterdrückung des Geschlechtstriebes erwiesen, der früher im Hort zu sehr unerfreulichen Unruhezuständen geführt hat. Durch das Medikament Non-Sex A ist es gelungen, die Äußerungen des Sexualtriebes zu unterbinden, ohne dass es zu unerwünschten

Nebenwirkungen wie Verweiblichung des männlichen Körpers und umgekehrt kommt.

Dr. Hellmann hat schon immer die Position vertreten, dass es nichts nützt, die Kosten der Duplikhaltung zu minimieren, wenn dadurch die Rate der psychisch bedingten Erkrankungen oder gar der Selbstmorde zunimmt. Auch wirtschaftlich gesehen kann nur eine artgerechte Duplikhaltung sinnvoll sein und die bekommt man nun mal nicht zum Preis eines Rattendomizils. Schließlich handelt es sich bei den Dupliks um Hominiden, um menschenähnliche Wesen, und für eine nicht krank machende Haltung muss entschieden mehr investiert werden. Dass die Sorge für das körperliche Wohlergehen allein nicht genügt, dass vielmehr den psychischen Bedürfnissen weitgehend entsprochen werden muss, auf diesen Punkt hat sie immer wieder hingewiesen und ihn zur Grundlage ihrer Neuerungen gemacht.

Mit Stolz kann sie darauf verweisen, dass viele ihrer Vorschläge nach einer entsprechenden Probephase zu allgemein gültigen Richtlinien für alle Horte des Bezirkes Nord I geworden sind.

Dr. Hellmann hatte eine Universitätsdozentur in klinischer Psychologie, bevor sie die Laufbahn für Duplik-Führungskräfte eingeschlagen hat. Viele ihrer Kollegen hingegen haben juristische oder verwaltungstechnische Studiengänge absolviert. Die jüngeren sind jedoch leicht von Reformvorschlägen zu überzeugen, wenn diese eine Steigerung der Wirtschaftlichkeit erwarten lassen. Bei den älteren überwiegt die Skepsis. Und oft ist selbst das Kostenargument nur vorgeschoben. Dr. Hellmanns neues Modell einer Duplikaufzucht durch die Kleeblätter selbst spart Fachkraftstellen und ist kostengünstiger als die Aufzucht durch menschliche Dadas.

Trotzdem gibt es Widerstände vonseiten der Minimalisten. Unbegründete Widerstände, findet Dr. Hellmann. Angst, ein Stück Kontrolle abzugeben. Darum hat sie den Bericht über den ersten Aufzuchtversuch des Duplik Hannes im Kleeblatt 7 besonders sorgfältig abgefasst. Ihre Theorie, dass die Dupliks die Verhaltensmuster ihres Lebens ausreichend verinnerlicht haben, um sie effektiv an die nächste Generation weiterzugeben, scheint sich ebenso zu bestätigen wie die Annahme, dass die Aufzucht eines Kindes für ein Kleeblatt eine zu bewältigende Herausforderung darstellt, deren Erfüllung Befriedigung verschafft, die zum Wohlbefinden beiträgt und somit die Gesundheit der Dupliks fördert. Die eingesparten Kosten wird sie natürlich besonders betonen, um so den Minimalisten jeden Wind aus den Segeln zu nehmen.

Dr. Hellmann ist mit sich zufrieden. Sie belohnt sich selbst für ihre Arbeit mit einer Stunde am Klavier. Manchmal bedauert sie es, dass sie ihr Klavierspiel jahrelang vernachlässigt hat. Ihr Vater, ein berühmter Verhaltenstherapeut, hatte es sich in den Kopf gesetzt, aus ihr eine Pianistin zu machen. Nicht zuletzt wollte er mit diesem Experiment an seiner Tochter die Richtigkeit der Theorie beweisen, die er seinen Klienten mit der einprägsamen Formel »input = output« erklärte. »Wie man in den Wald hineinruft, so schallt es heraus! Das wussten schon unsere Vorfahren«, pflegte er zu scherzen. Gerade weil es in seiner Familie, wie auch in der seiner Frau, seit Generationen kein musikalisches Talent gegeben hatte, sollte seine Tochter eine erstklassige Pianistin werden. Er engagierte einen Musikpädagogen, als seine Tochter zwei Jahre alt war. Mit vier Jahren bekam sie den ersten Klavierunterricht. Mit zwölf Jahren gewann sie den Jugendmusikwettbewerb ihrer Heimatstadt. Mit siebzehn Jahren weigerte sie sich, je wieder ein Klavier anzurühren.

Sie belegte an der Universität das Fach Psychologie. Und schon bald nach Abschluss ihrer Studien erregte sie mit einigen viel beachteten wissenschaftlichen Arbeiten Aufsehen. Sie interpretierte die Geschichte als eine dem individuellen Entwicklungsprozess ähnliche Bewegung. Auch die Völker bildeten eine Familie, wobei den strukturalistischen Gesellschaften die Rolle der Eltern zukam, während die unterentwickelten Nationen sich noch im Zustand des Kindseins befanden. Somit war es nur natürlich, dass ihnen nicht die gleichen Rechte zugestanden werden konnten wie den Erwachsenen.

Für die Veröffentlichung dieser Arbeit wurde sie mit dem Förderpreis für Psychologie ausgezeichnet und ihre Thesen wurden in vielen Medien dargestellt, verkürzt natürlich und in allgemein verständlicher Form. Aber gerade deshalb leuchteten sie wohl vielen Menschen ein. Es war die Zeit des Afroasiankonfliktes, der erst dadurch befriedigend gelöst wurde, dass der Afroasian-Union alle Atomwaffen und alles spaltbare Material genommen wurde. Für jeden Bürger war einsichtig, dass diese Staaten mit ihrem Aufstand gegen die zivilisierten Nationen sich wie ungezogene Kinder gegenüber ihren Eltern betragen hatten. Jetzt unterstanden sie einer strengen Kontrolle der Liga; ihr Bevölkerungswachstum wurde stark eingeschränkt und ihre Wirtschaft den Erfordernissen des Weltmarktes angepasst.

Dr. Hellmann war bei ihren Studien schon früh zu der Überzeugung gelangt, dass die These früherer Jahrhunderte, alle Staaten seien gleichberechtigt, geradezu abenteuerlich sei. Diese Gleichberechtigung hatte ja wohl auch damals nur in der Theorie bestanden. Es war wichtig, die Theorie der Realität anzupassen. Und Tatsache ist, dass gleiche Rechte für alle ein Absinken des Lebensstandards und des kulturellen Niveaus der strukturalistischen Gesellschaften bedeuten würden. Dies wäre geradezu unmenschlich. Genauso wie der einzelne Mensch zur Erzielung höchster Erfolge auf einem Gebiet andere Fähigkeiten vernachlässigen muss, muss der Völkerorganismus die fähigsten Teile durch alle anderen unterhalten und zur höchsten Entfaltung bringen.

In ihrer Doktorarbeit hatte sie sich mit dem Einfluss psychisch bedingter Erkrankungen auf die Qualität transplantierter Duplikorgane beschäftigt und nachweisen können, dass hier ein wichtiger Schritt zur Verbesserung der Ergebnisse nötig war. Diese Arbeit hatte ihr den Ruf ins Führungsgremium eingetragen, wo sich ihre Theorie in der Praxis bewähren sollte.

Sie war mit viel Engagement bei der Arbeit, sie war erfolgreich und selbstbewusst. Seit sie am Todestag ihres Vaters den Deckel ihres Klaviers zum ersten Mal wieder geöffnet hat, benutzt sie das Instrument, um sich von den manchmal unangenehmen Details ihrer Arbeit abzulenken. So passt es ihr überhaupt nicht ins Konzept, dass dem Duplik Jonas 7 ausgerechnet jetzt die Augen entfernt werden mussten. Das bringt unnötige Unruhe in das Kleeblatt, das modellhaft die Aufzucht der nächsten Duplikgeneration erproben soll. Aber es stellt ihr Experiment natürlich nicht grundsätzlich infrage, denn die Aufteilung der Betreuungspflichten auf vier erwachsene Dupliks bietet die Gewähr für einen störungsarmen Ablauf, auch wenn einzelne Mitglieder aus systembedingten Gründen ganz oder teilweise ausfallen.

Dr. Hellmanns sensible Finger gleiten über die Klaviertasten. Das »Lied an die Freude« erklingt.

Die Vorstandswahl kann kommen.

Die Entscheidung

Heute ist der Tag!

Seitdem Jonas sich entschieden hat mitzumachen, fühlt er sich seltsam leicht. Nachdem er das Skript von Anna Mirdal zu Ende gelesen hat, wusste er, dass es für ihn kein Zurück mehr gibt. In den letzten Nächten hat er allerdings auch vor Unruhe so wenig geschlafen, dass man ihm die Blutauffrischung, die er angeblich benötigt, ohne Weiteres gewährt.

Heute ist der Tag. Heute hat er den Termin in der Steptoe-Klinik, den ihm das Attest von Professor Jaffle verschafft hat. Professor Jaffle ist Leiter einer kleinen Privatklinik für konservative Transplantationschirurgie. Als Anhänger der katholischen Sekte macht er von seinem Recht

Gebrauch, Duplik-Transplantationen aus Gewissensgründen abzulehnen. Seine Tochter Janina arbeitet in Ilkas Gruppe mit. Er selbst ist nie in der Lebensschützerbewegung aktiv geworden, bejaht aber das politische Engagement seiner Tochter. Ohne genauer nachzufragen, hat er auf ihre Bitte das benötigte Attest für Jonas ausgestellt.

Die Steptoe-Klinik liegt am Stadtrand und ist dem Duplikhort Nordmark III direkt angeschlossen. Hier werden vor allem die vorher terminierten Transplantationen vorgenommen. Im Trakt A mit Ausgang zum Hort liegen die Dupliks, im Trakt B mit Ausgang zur Stadt die Menschen. Beide Bereiche grenzen im Operationsbereich aneinander. Spender und Empfänger der Organe liegen in benachbarten Räumen, die durch Schleusen miteinander verbunden sind.

Es klingelt an Jonas' Wohnungstür. Ilka ist pünktlich. Sie ist als Begleitperson ebenfalls in der Klinik angemeldet. Während der Fahrt reden die Geschwister kaum ein Wort. Alle Einzelheiten des Plans sind in den letzten Tagen unzählige Male durchdacht und diskutiert worden. Jetzt gilt es nur, die Nervosität zu bekämpfen. Jonas rückt mehrmals seine Sonnenbrille zurecht. Er ist es nicht gewohnt, eine Brille zu tragen.

Endlich haben sie die Klinik erreicht und gehen auf den Eingang zu. Eine freundliche junge Frau bittet sie um ihre Genkarten. Sie treten kurz vor ein Sichtgerät und nach wenigen Sekunden spuckt der Computer ihre Karten wieder aus. Sein grünes Licht bestätigt die Identität zwischen den Genkarten und ihren Besitzern sowie deren Anmeldung für den heutigen Tag um 10.35 Uhr.

Die freundliche junge Frau weist ihnen den Weg zur Transfusionsabteilung. Jonas und Ilka gehen durch einen grasgrün gestrichenen Flur. An den Wänden hängen Drucke von Modigliani. Die Werke dieses Malers fand Jonas schon immer abscheulich. Aber jetzt erscheinen ihm die blutleeren konturlosen Gesichter auf ihren verbogenen lang gezogenen Hälsen sogar als böses Omen. Ach, Unsinn! Alles Aberglaube! Jetzt nur nicht verrückt machen lassen.

An der Tür zur Transfusionsabteilung erwartet sie schon die diensthabende Ärztin, Frau Dr. Malthus. Sie begrüßt die beiden und führt sie in das Behandlungszimmer. Während Jonas sich auf einer Liege ausstreckt, nimmt Ilka auf einem Stuhl neben ihm Platz.

»Es geht gleich los«, sagt die Ärztin aufmunternd, »und nachher – so in einer halben Stunde – können Sie schon wieder nach Hause gehen. Vielleicht werden Sie sich am Anfang etwas schwindelig fühlen. Deshalb ist es gut, dass Sie sich von Ihrer Schwester begleiten lassen. Aber spätestens morgen werden Sie die positive Wirkung des Blutaustausches spüren.«

»Das kann ich auch gut gebrauchen. Ich steh nämlich im ersten vorklinischen Examen. Und meine Konzentrationsfähigkeit hat dermaßen nachgelassen . . .«

»Na, dann brauch ich Ihnen ja nichts weiter zu erklären. Das Blut scheint noch nicht da zu sein. Klingeln Sie doch bitte, wenn das Lämpchen an der Wand dort aufleuchtet. Dann kann ich Ihnen die Infusion anlegen.«

Mit diesen Worten verlässt Frau Dr. Malthus den Raum. »Sie scheint in Zeitdruck zu sein. Das ist günstig für uns«, flüstert Ilka.

Jonas nickt. Er ist froh, dass er liegen darf. Liegen und schlafen. Mehr wird von ihm nicht gefordert. Vorerst.

Er starrt das Lämpchen an. Sein Aufleuchten bedeutet, dass nebenan sein Duplik zum Blutabzapfen liegt.

Die Flucht

Vor einer Woche bin ich wieder in die Klinik gekommen. Sie haben mir die Augenplastik eingesetzt. Sie soll sehr natürlich wirken, betonen die Ärztinnen. Aber für mich ändert das überhaupt nichts. Zurzeit muss ich auch noch einen Verband tragen, damit es nicht zu Entzündungen kommt. Heute Vormittag soll mir Blut abgenommen werden. Das unterstützt den Heilungsprozess. Meinetwegen. Mir ist sowieso alles egal.

Dada Mirdal kommt, um meinen Verband zu wechseln. Ich spüre ihre Hand an meiner Wange. Streichelt sie mich etwa? Ist wohl nur ein Versehen. Sie zieht den Verband fest.

»Au! Das drückt am Ohr!«

Dada Mirdal macht sich noch mal kurz am Verband zu schaffen.

»Das ist schon in Ordnung so.«

Schon ist sie wieder draußen. Verdammt, das drückt aber immer noch!

Was ist das? Eine Frauenstimme an meinem Ohr?

»Jonas 7! Bitte erschrick nicht! Bleib ganz ruhig liegen! Dada Mirdal hat dir einen Miniempfänger ins Ohr gesteckt, damit wir unauffällig mit dir Kontakt aufnehmen können. Wir sind eine Gruppe von Menschen, die euch Dupliks helfen wollen . . .«

Auch ohne die Aufforderung der Stimme wäre ich wie erstarrt liegen geblieben. Die Stimme sagt wahnsinnige Sachen.

Ich sei ein lebendiges Ersatzteillager für den Menschen Jonas Helcken. Der würde jetzt mit meinen Augen sehen. Was ist das – ein Mensch? Eine Frau? Und ihr haben sie meine Augen eingesetzt?

»Der Fraß ist eine Lüge. Es gibt keinen Fraß. Euch werden eure gesunden Körperteile weggenommen, um sie kranken Menschen einzupflanzen«, sagt die Frauenstimme.

Die Stimme erzählt viel, doch ich begreife nur wenig.

Doch auf einmal sagt sie: »Wir wollen dich befreien. Wenn du meinen Anweisungen folgst, wirst du in einer Stunde die Klinik, den Hort verlassen können. Ich schalte mich jetzt ab, damit du Zeit zum Nachdenken hast.«

Jetzt liege ich hier. Ich kann das Zittern meines Körpers kaum unterdrücken und keinen klaren Gedanken fassen.

Den Hort verlassen? Befreien? In die schreckliche Welt der Frauen? Wollte ich das nicht? Aber ich habe doch nicht im Traum daran gedacht, dass es einmal möglich sein würde. Die Stimme gehört einer Frau. »Wir wollen dich befreien«, hat sie gesagt. Wer ist »wir«? Die Frauen? Andere Frauen? »Es gibt keinen Fraß«, hat sie gesagt. Aber der Fraß hat meine Augen zerstört! Oder wie hat sie das gemeint: »Euch werden eure Körperteile weggenommen«? Waren meine Augen gar nicht zerfressen? ». . . kranken Menschen eingepflanzt.« Meine Augen in ein anderes Wesen gepflanzt? Wie ist das möglich? »Ersatzteillager« – Wir? Die Dupliks? Was ist das für eine irrsinnige Geschichte? »Wenn du meinen Anweisungen folgst, wirst du den Hort verlassen können.« Den Hort verlassen. Den Hort verlassen. Das muss ein Traum sein. Wunschtraum? Albtraum? Nein. Wirklichkeit. Der Sender drückt auf mein Ohr. Das tut weh. Das ist Wirklichkeit.

Ich weiß nicht, was das alles bedeutet. Ich weiß nur: Ich werde es tun. Es ist ein Ausweg. Ich weiß nicht, wohin. Aber es ist ein Ausweg. Vielleicht.

»Aufstehn, Jonas, ich bringe dich jetzt zur Blutabnahme!«

Dada Mirdal stützt mich. Ich fühle mich so schwach, dass ich kaum gehen kann.

Endlich sind wir im Behandlungsraum und ich darf mich auf die Pritsche legen.

»So, ein kleiner Pieks, und dann schön still liegen.«

Das ist die Stimme von Frau Dr. Malthus.

Ich höre, wie sie durch die Schleuse in den Nebenraum geht. Wieder spüre ich Dada Mirdals Hand auf meiner Wange. Gehört sie zu denen, die mich hier rausbringen wollen? Ja, wer, wenn nicht sie! Meine Dada.

Nach kurzer Zeit kommt Frau Dr. Malthus zurück und schiebt die Nadel ein Stück weiter in die Vene.

»Beobachten Sie das noch einen Moment!«, sagt sie, offenbar zu Dada Mirdal.

Kaum hat Frau Dr. Malthus den Raum verlassen, flüstert Dada Mirdal mir zu: »Ich lege dir ein rotes Kärtchen auf den Bauch unter die Decke. Damit kannst du die Schleusentür öffnen, Jonas. Warte, bis der Sender dir das Kommando gibt! Vergiss nicht, vorher die Kanüle aus dem Arm zu ziehen. Kräftig auf die Einstichstelle drücken!«

Und schon ist sie verschwunden.

Nach ungefähr zehn Minuten kommt Frau Dr. Malthus zurück, kontrolliert die Transfusion und lässt mich wieder allein.

»Jetzt!«, sagt die Stimme in meinem Ohr.

»Zieh die Kanüle raus, nimm das rote Kärtchen und geh zur Schleuse!«

Ich reiße die Spritze aus meinem Arm, taste nach dem Kärtchen. Wo ist es nur geblieben? Ach da! Ich stehe von der Pritsche auf.

»Die Schleuse ist genau gegenüber«, sagt die Stimme, »geh langsam auf sie zu und halte das Kärtchen in Brusthöhe!«

Ich tappe vorsichtig voran. Nur jetzt nicht stolpern! Da – das Geräusch der sich öffnenden Schleuse.

Jemand packt mich am Arm. Eine hektische Frauenstimme redet auf mich ein:

»Schnell! Gib mir das Kärtchen. Du musst deine Kleidung wechseln! Schnell!«

Die Frau hilft mir, eine Hose, Schuhe und einen Mantel anzuziehen. Was geschieht nur mit mir? Sie entfernt meinen Verband, setzt mir eine Brille auf, hakt mich unter und wir verlassen den Raum.

»Nichts sagen«, zischt sie.
Ich bin so zittrig. Das ist ein Traum!
»Hier, unsere Genkarten!«
Die Frau führt mich zwei Schritte weiter.
»Alles in Ordnung«, sagt eine andere Frauenstimme. »Ihr Bruder ist aber noch ganz schön wackelig auf den Beinen.«
»Ja, er muss sich zu Hause erst mal hinlegen«, antwortet meine Führerin.
Und wir gehen weiter.

Die Vernehmung

Jonas Helcken kommt langsam zu sich.
Er wartet, bis sein Bewusstsein wieder völlig klar ist, sortiert seine Gedanken, überlegt, was er gleich zu sagen hat.
Erst dann schlägt er die Augen auf. Sofort beugt sich eine Frau über ihn.
»Er ist aufgewacht«, teilt sie zwei in der Nähe wartenden Männern mit.
»Was ist los? Wo bin ich?«, stammelt Jonas. Die Männer treten an sein Bett.
»Sie sind immer noch in der Steptoe-Klinik«, sagt der eine, »nur Ihr Duplik nicht mehr.«
Jonas spielt den Verwirrten.

»Wieso ist mein Duplik nicht mehr hier? Er sollte mir doch Blut spenden. Und meine Schwester? Wo ist ... oh, jetzt erinnere ich mich ...«

»Ihre Schwester ist ebenfalls verschwunden. Und zwar hat sie zusammen mit Ihrem Duplik die Klinik verlassen. Und der trug Ihre Kleidung und hatte Ihre Genkarte. Da er genetisch mit Ihnen identisch ist, hat der Computer ihn als Jonas Helcken durchgehen lassen, dessen Eingang er registriert hatte. Raffiniert eingefädelt. Was sagen Sie denn dazu?«

»Meine Schwester soll ... ach, deswegen hat sie ...«

»Was hat sie? Sprechen Sie ruhig weiter.«

»Ach nein, nichts.«

»Es hat keinen Sinn, Ihre Schwester decken zu wollen. Dass sie Ihrem Duplik zur Flucht verholfen hat, ist sonnenklar. Jetzt geht es nur um Ihre Rolle bei dem Verbrechen.«

»Meine Rolle? Ich weiß nichts. Ich lag am Schlauch, der aus der Wand kam. Plötzlich zog meine Schwester eine Spritze aus der Tasche und drückte den Inhalt in den Schlauch ... ›Was machst du denn da?‹, hab ich sie noch gefragt und dann war ich auch schon weg. Mehr weiß ich wirklich nicht.«

»Sie behaupten also ernsthaft, Sie hätten von dem Entführungsplan Ihrer Schwester nichts gewusst?«

»Aber nein, wie sollte ich? Jetzt wird mir überhaupt erst so langsam klar, wieso sie mich unbedingt in die Klinik begleiten wollte. Unser Verhältnis ist nämlich sonst gar nicht so besonders eng.«

»Ihre Schwester ist schon mehrfach wegen Aktivitäten gegen die Duplikhaltung auffällig geworden. Das mussten Sie doch wissen!«

»Ja, sicher. Aber ich denk doch nicht an so was! Gerade nach meiner Augenimplantation hatte ich das Gefühl, sie würde ihre strikte Ablehnung in der Duplikfrage aufgeben. Sie hatte ja jetzt gesehen, welch segensreiche Einrichtung die Duplikhaltung für mich war.«

»Herr Helcken, die Ärztin signalisiert, dass Sie sich von der Wirkung der Betäubungsspritze erst mal erholen müssen. Wir lassen Sie also jetzt in Ruhe. Sie werden allerdings bis auf Weiteres in der Klinik bleiben müssen. Wir müssen den genauen Ablauf des Verbrechens erst rekonstruieren.«

»Vielen Dank. Ja, etwas Schlaf kann ich wirklich noch gebrauchen.«

Jonas dreht sich auf die Seite und schließt die Augen. Er ist mit sich zufrieden. Er hat eine gute Vorstellung gegeben.

Zwei Tage später ist Jonas wieder zu Hause. Frau Dr. Malthus jedoch sitzt in Untersuchungshaft, obwohl sie empört jede Beteiligung an der Flucht abgestritten hat.

Nach übereinstimmenden Zeugenaussagen ist sie aber die Letzte gewesen, die in den Raum, in dem Jonas 7 lag, gegangen ist. Nur sie konnte ihm folglich die Schleuse geöffnet haben.

Jonas ist erleichtert, als er von der Verhaftung Frau Dr. Malthus hört. Es ist ihnen also gelungen, den Verdacht von Anna Mirdal abzulenken. Die hatte sich nach der Übergabe ihres roten Kärtchens an Jonas 7 ein Imitat an den Kittel geheftet, das äußerlich nicht zu unterscheiden ist, aber natürlich keine Schleuse öffnen kann. Sie war ins Personalzimmer gegangen, wo sie mit zwei Klinikerinnen Kaffee getrunken und sich unterhalten hatte, um sich so ein Alibi zu verschaffen. In der allgemeinen Verwirrung nach Entdeckung der Flucht hatte sie den Verbandswagen aus dem Zimmer von Jonas Helcken geholt und im Verbandsraum das echte Sensorkärtchen aus der Tupferschachtel genommen, in das Ilka es hineingelegt hatte. Das Imitat wickelte sie in blutige Mullbinden und warf es in den Abfall.

Jonas ist auf die Vermutung angewiesen, dass sie alles so gemacht hat, wie sie es verabredet hatten. Natürlich nimmt er keinerlei Kontakt auf, weder zu Anna Mirdal noch zu seiner Schwester.

Er ist sicher, dass er streng überwacht wird. Er kann zum weiteren Gelingen ihres Plans nichts mehr beitragen, als abzuwarten, mit seinem Vater zu telefonieren und sich darüber auszulassen, wie unfassbar er diese abscheuliche Tat seiner Schwester findet.

Und dann auch noch ihn in diese schmutzige Sache mit reinzuziehen! Also wirklich!

Die Verwirrung

Langsam beginne ich meine Situation zu erkennen.

Nachdem ich am Arm der Frau die Klinik verlassen hatte, drängte sie mich in einen Wagen.

»Zur Central-Station«, sagte sie und der Wagen fuhr los. Nach kurzer Zeit stiegen wir aus und gingen eine Zeit lang, ohne zu sprechen. Schließlich schob sie mich in einen anderen Wagen. Mit einem tiefen Seufzer setzte sie sich neben mich.

»Fahr los«, befahl sie, »ich glaub, es hat uns niemand beobachtet.«

»Okay«, antwortete eine andere Stimme und ich erschrak. Die Stimme war ganz tief. Es musste also ein Duplik sein. Gab es etwa noch mehr befreite Dupliks?

Ich traute mich nicht zu fragen.

»Jonas, ich bin Ilka«, sagte die Frau, »ich bin

die Schwester von Jonas Helcken, dem sie deine Augen implantiert haben.«

»Jonas Helcken? Ist das die Frau, der sie meine Augen eingepflanzt haben?«

»Jonas ist ein Mann.«

»Was ist das?«

»Was das ist? Ach so, das weißt du ja gar nicht. Hmm, nicht einfach zu erklären. Hilf mir, Bernd!«

»Wieso? Ist doch ganz klar«, sagte der Duplik, »du, Jonas, bist zum Beispiel ein Mann.«

»Ich? Ich bin ein Duplik.«

»Ja, schon. Ein männlicher Duplik. Es gibt aber auch weibliche.«

»Was ist weiblich?«

Jetzt stöhnte der Duplik und die Frau sagte: »Konzentrier dich auf den Verkehr, Bernd. Wir haben noch genug Zeit, Jonas alles zu erklären. Jetzt müssen wir erst mal ohne Zwischenfälle zu dir kommen.«

Von da an schwiegen wir. Die Frau hielt aber die ganze Zeit meine Hand.

»Wir sind gleich da. Setzt eure Masken auf.« Die Frau stülpte mir etwas Hartes über das Gesicht.

»Gut, dass Fool's Day ist. So fallen wir bestimmt nicht auf.«

Wir stiegen aus. Die Frau führte mich. »Wir fahren mit dem Fahrstuhl. Sag am besten gar nichts, Jonas.«

Im Fahrstuhl standen wir dicht aneinandergedrängt. Es waren noch andere da.

»Das war eine herrliche Fete«, sagte der Duplik, »ihr kommt doch noch mit auf 'ne Tasse Kaffee?«

Die Frau lachte. »Na klar, damit sich die Nebel lichten.«

Dann wurde ich in einen Raum geführt und durfte mich setzen.

»Wir sind da«, sagte die Frau. »Geschafft!«

Die Freiheit?

Inzwischen habe ich vieles begriffen. Ich weiß, dass ich in der Wohnung von Bernd versteckt gehalten werde. Das war der mit der tiefen Stimme, den ich deshalb für einen Duplik gehalten habe. Aber jetzt weiß ich, was Menschen sind und was Dupliks.

Ich weiß, dass es von beiden Männer und Frauen gibt. Und ich weiß, woher die Kinder kommen, obwohl mir Bernds Erklärung immer noch sehr merkwürdig vorkommt.

Wo ich meinen Pinkler habe, sollen die Frauen ein Loch haben. Und aus dem Pinkler spritzt Samen. Der wird in ein Glas gefüllt und mit einem Ei aus dem Bauch der Frau zusammengetan. Daraus wächst das Kind. Es wird durch das Loch in die Frau eingespült, und wenn es groß genug ist, kommt es wieder raus. Das kann ich mir überhaupt nicht vorstellen. Und aus meinem Pinkler ist bisher immer nur Urin gekommen und nicht so ein Samen. Ich glaub, dass ich da noch nicht alles verstanden habe.

Aber es gibt weit wichtigere Dinge, über die wir uns den Kopf zerbrechen. Vor allem müssen wir verhindern, dass mein Versteck entdeckt wird. Wenn die Menschen uns finden, werde ich zurück in den Hort gebracht. Ilka und Bernd kommen in ein Gefängnis und das scheint ein noch schlimmerer Ort zu sein. Jedenfalls haben sie eine Riesenangst davor. Jeder zweite Satz von Bernd ist: »Ich seh uns schon im Gefängnis«, und Ilka antwortet: »Hasenfuß.«

Wir müssen uns tagsüber ganz ruhig verhalten, damit die Nachbarn uns nicht hören. Wenn Bernd arbeitet, muss die Wohnung wie leer wirken. Kein Geräusch darf hinausdringen, nicht mal die Klospülung darf ich betätigen! Ich liege fast die ganze Zeit auf dem Sofa. Ilka sitzt in meiner Nähe. Ach, wenn ich sie doch nur sehen könnte! Sie und alles andere hier draußen. Oft wünsche ich, sie hätten mir ein Bein abgenommen oder sonst irgendetwas. Nur nicht die Augen.

Immer wieder dieses Gefühl, alles nur zu träumen. Einmal möchte ich diesen Jonas sehen, der wie ich aussehen soll, der jetzt mit meinen Augen sieht, der mich befreit hat.

Man hat mich von ihm abgezweigt, hat Ilka mir erzählt, und einer fremden Frau eingepflanzt. Wir sind aus demselben Samen und Ei. Also gleich – im Kern sozusagen. So verstehe ich das jedenfalls. Nur, er ist der Mensch und ich bin der Duplik. Wenn sie uns beim Einpflanzen verwechselt hätten und mich in seiner Mutter und ihn in der fremden Frau hätten heranwachsen lassen, wäre es genau andersrum, sagt Ilka.

Sie sagt auch, wir wären alle Menschen, aber viele Menschen würden das nicht begreifen. Ich müsste ihnen dabei helfen. Die Menschen sperren uns ein, verstümmeln und töten uns und ich soll ihnen helfen? Es geht im Moment alles noch über meinen Verstand.

Ilka hat mir vorgelesen, was Dada Mirdal über uns Dupliks geschrieben hat. So ist also Frau Dr. Hellmann, die so sehr um unser Wohlergehen besorgt war, in Wirklichkeit unsere Feindin?

Ilka sagt, so machen es die Menschen überall. Sie halten auch Schweine und Rinder, füttern und pflegen sie, und eines Tages kommen sie, schlachten die Tiere und essen sie auf.

Ich kenne keine Schweine und Rinder. Bei uns gab es nur wenige Tiere: Vögel, Meerschweinchen, Katzen, Fliegen, Mücken und andere Insekten. Aber kein Duplik wäre jemals auf die Idee gekommen, sie zu töten. Und aufzuessen! Eine grauenhafte Vorstellung! Wenn die Menschen so sind, will ich gar keiner sein.

»Was meinst du denn, was euer Steak war? Oder euer Schnitzel?«, fragt Ilka. »Das ist doch nichts anderes als Fleisch von getöteten Schweinen und Rindern.«

Mir wird ganz schlecht. Wie gern habe ich Steaks gegessen! Und nie darüber nachgedacht, woher sie kommen. Aus der Zentralküche eben. Wenn ich als Mensch aufgewachsen wäre, hätte ich dann Pidder, unseren Kater, geschlachtet, um ihn aufzuessen? Mir werden diese Menschen immer unheimlicher.

»Ich esse kein Fleisch«, sagt Ilka, ohne dass ich sie danach gefragt habe.

»Und Jonas?«

»Der ja.«

»Und die Dupliks? Wenn die Menschen sie töten, um sie als Ersatzteile zu verwenden, warum nicht auch um sie zu essen? Schmecken wir vielleicht nur nicht?«

»Gute Frage«, sagt Ilka.

»Und die Antwort?«

»Wahrscheinlich zu teuer.«

»Was heißt teuer?«

So geht es immer in unseren Gesprächen. Plötzlich taucht ein Wort auf, das ich nicht verstehe, und dann folgt eine lange Erklärung, in der noch mehr solche Wörter vorkommen, und so vergeht schnell ein ganzer Nachmittag.

Jetzt weiß ich wieder ein bisschen mehr darüber, wie die Menschen leben; zum Beispiel, dass es Geldkarten gibt, für die wenige viel und viele wenig kaufen können.

Ich kann mir nicht vorstellen, dass wir Dupliks jemals so wie die Menschen sein könnten. Die schmeißen sogar Essen weg, während andere Menschen verhungern! Nun gut, uns ist das Essen immer geliefert worden. Das war überhaupt kein Thema. Aber wenn neben mir einer gehungert hätte, wie könnte ich ihm da nichts abgeben?

»So ist es ja nicht«, sagt Ilka, »die Welt ist eben nicht so klein, wie euer Hort es war. Es gibt nicht tausend Menschen auf der Welt, sondern Milliarden, und die Hungernden siehst du höchstens auf Bildern, im TV oder so. Du kannst ihnen gar nicht helfen, selbst wenn du wolltest, weil die Regierungen ...«

»Was ist das?«

Je mehr mir Ilka erzählt, umso verwirrender erscheint mir diese Menschenwelt, die ich nie sehen werde.

Bin ich wirklich befreit? Ging es mir nicht gut im Hort? Ich hatte mein Kleeblatt, den kleinen Hannes. Solange der Fraß nicht kommt, ist unser Duplikleben doch gar nicht schlecht! Wir verhungern jedenfalls nicht!

Mir schwirrt der Kopf.

Und dann diese Hormone! Ilka sagt, die fehlen mir, weil ich immer Spritzen dagegen gekriegt habe. Aber jetzt würden sie sich bald bemerkbar machen. Dann wäre ich erst ein richtiger Mann. Was meint sie damit? Bin ich jetzt ein falscher?

Die Hormone bewirken offenbar, dass dieser Samen kommt und man ihn unbedingt in eine Frau reintun will. Abstrus! Ich werde das nie wollen. Vielleicht sind die Menschen wegen dieser Hormone so grausam? Ich möchte nicht so werden. Ilkas Freunde müssen mir Spritzen besorgen, die das verhindern.

Sie lacht nur über mich. Sie ist auch grausam. Ich will zurück! Ich habe Angst. Ich will kein Mensch werden.

»Du bist ein Mensch«, sagt Ilka. »Du musst doch froh sein, dass wir dich aus deiner Gefangenschaft befreit haben!«

Sie begreift nicht, dass der Hort nicht nur mein Gefängnis, sondern auch meine Heimat war. Obwohl ich ihr schon so viel von unserem Leben dort erzählt habe, möchte sie am liebsten immer noch glauben, die Dupliks würden in dunkle Keller gepfercht, am besten noch mit Ketten an die Wand geschmiedet.

Wie kann ich glauben, dass alle Frauen, die uns versorgt und betreut haben, Verbrecherinnen sind? Vielleicht wissen viele von ihnen gar nicht, zu welchem Zweck wir im Hort gehalten werden?

Ich habe versucht, Ilka einen typischen Tagesablauf im Hort zu schildern. Aber schon als ich ihr vom Frühstück berichtete, wie wir uns an die vier Seiten des quadratischen Tisches setzen, uns die Hände reichen und dabei sagen: »Wir wünschen uns einen guten Morgen und danken den Frauen, die für uns sorgen«, schrie sie empört auf: »Das ist ja makaber!«

Dass wir zu viert in einer Wohnung hausen, nennt sie »Rottenfolter«. Die Menschen leben jeder für sich in einer Wohnung. Ein Mann und eine Frau, die ein gemeinsames Kind haben, wohnen in zwei aneinandergrenzenden Wohnungen, die durch ein Kinderzimmer verbunden sind. Kinder ziehen spätestens mit siebzehn Jahren in ein eigenes Apartment. Nur ganz arme Leute können sich keine getrennten Wohnungen leisten. Zu viert eine Küche und Toilette benutzen zu müssen ist unhygienisch, sagt Ilka und schüttelt sich. Außerdem müsse der ständige Kontakt zu anderen doch schwerste psychische Schäden hervorrufen.

Als ich eingestehe, dass es natürlich auch Probleme miteinander gibt, sagt sie sofort: »Na bitte!«, und hört nicht weiter zu, als ich erkläre, wie gemütlich ich die abendlichen Plauderstunden mit Jan fand, wie schön es war, in der Küche beim Gemüseschnippeln Martins Berichten vom Fußballtraining zu lauschen.

»Alleinsein ist die Grundbedingung der Freiheit«, sagt sie. »Aber von Freiheit versteht ihr Dupliks ja nichts. Eure Körper werden gepflegt, aber eure Seelen lassen sie verkrüppeln. Eine Seele kann man ja auch nicht verpflanzen.«

Manchmal glaube ich doch, dass wir Dupliks ganz andere Wesen sind als die Menschen.

Der Abschied

Zuerst hatten sie es nicht glauben wollen.

An dem Tag, als sie Jonas aus der Klinik zurückerwarteten, kam statt des Krankenwagens Frau Dr. Hellmann.

Sie sah übernächtigt aus, presste ihre Lippen zusammen und teilte ihnen knapp und geschäftsmäßig mit, dass Jonas 7 plötzlich an einer besonders gefährlichen Form des Fraßes gestorben sei.

Jan und Martin starrten sie fassungslos an, im Backofen verbrannte der Kuchen, mit dem sie Jonas' Rückkehr feiern wollten. Tim zerrte Hannes weg, der sich an Frau Dr. Hellmanns Kittel hochzog und fröhlich krähte. Frau Dr. Hellmann sprach ihnen ihr Beileid aus und kündigte die Abschiedszeremonie für den übernächsten Tag an.

Seitdem hat das Kleeblatt sie nicht mehr gesehen. Nicht einmal zur Abschiedszeremonie ist sie gekommen.

Frau Dr. Hester hält die Rede an Jonas' Sarg. Alle Kleeblätter des Hauses haben sich – wie bei Hannes' Übergabe – im Gemeinschaftsraum versammelt. Die Hausband spielt einen Black-Emotion: Martin als der Älteste reißt von einem überdimensionalen Pergamentkleeblatt das Blatt mit dem Namen »Jonas« ab, zerreibt es zwischen seinen Fingern und streut es über den Sarg.

In diesem Moment ziehen viele Dupliks ihre Taschentücher und wischen sich verschämt die Augen. Der über und über mit roten und weißen Kleeblüten bedeckte Sarg wird wieder aus dem Gemeinschaftsraum getragen und im Übergangswagen langsam zur Endschleuse gefahren.

Auf dem Weg dorthin folgen auch noch Dupliks aus anderen Häusern dem Wagen. Schweigend, mit gesenktem Kopf, warten sie, bis sich die Endschleuse langsam für immer hinter Jonas 7 schließt.

Tim holt Hannes vom Nachbarkleeblatt ab. Er setzt sich in der Küche mit Martin und Jan zusammen und sie überlegen zum hundertsten Mal, wie das geschehen konnte, warum gerade

Jonas, warum gerade jetzt. Jan beschuldigt sich und die anderen, in der letzten Zeit nicht genügend auf Jonas' Bedürfnisse eingegangen zu sein, zu wenig Rücksicht auf seine Blindheit genommen zu haben. Vielleicht haben sie dadurch seine seelische Widerstandskraft gegen den Fraß geschwächt?

Wie immer nach einem plötzlichen Todesfall herrscht im Hort eine spürbare Unruhe. Die Positiv-Gruppe bekommt verstärkten Zulauf und auch die »Meditationen gegen den Fraß« werden von vielen besucht.

Martin betäubt sich mit Fußballspielen. Tim klammert sich noch mehr an Hannes und versucht fast hysterisch, ihn vor jeder nur denkbaren Gefährdung zu schützen. Er wird mehrfach von Frau Dr. Hester ermahnt, Hannes nicht schreckhaft und überängstlich zu machen. Tim fällt es nicht leicht, diese Ermahnungen anzunehmen. Diese Frau Dr. Hester hat eine so barsche Art; ihre Ratschläge hören sich an wie Kommandos. Nicht nur Tim wünscht sich Frau Dr. Hellmann zurück.

Jan versinkt in Grübeleien. Je mehr er zu der Überzeugung gelangt, dass ein Duplik angesichts der Kürze und Unberechenbarkeit seines Daseins jeden einzelnen Augenblick genießen sollte, umso ungenießbarer werden ihm seine tatsächlichen Augenblicke. Die spontane Lebensfreude, die er theoretisch von sich fordert, will sich nicht einstellen. Lebensekel macht sich in ihm breit. Und der Einzige, mit dem er darüber reden könnte, ist nicht mehr da.

Wo ist Jonas jetzt? Gibt es ein Leben nach dem Ende? In einem besseren Hort?

Das Bekennervideo

Jonas Helcken ist enttäuscht über das schwache Echo ihrer Aktion in den Medien. Nur Ilkas Blatt und eine andere Zeitung, die hauptsächlich in der konservativen Szene gelesen wird, haben den Bekennerbrief abgedruckt, mit dessen Formulierung Ilka sich so viel Mühe gegeben hatte. Die anderen Zeitungen brachten nur eine Meldung über die »dreiste Entführung«, eine Beschreibung der Täterin und ausführliche Beiträge über die sofort von Politikern der Regierungspartei erhobenen Forderungen nach einer Überprüfung der Sicherheitsvorkehrungen und einer Verschärfung der Gesetze zum Schutz vor terroristischen Angriffen. Denn um einen solchen handelte es sich hier zweifelsohne. Ähnlich war der Tenor im Radio und Fernsehen. Nur wenige Stimmen äußerten sich verständnisvoll (ist die Gesellschaft nicht mitschuldig, wenn eine junge Frau zu einer so sozialschädlichen Tat getrieben wird?) bis kritisch (... sollten wir nicht vergessen, dass auch heute noch nicht in allen Bevölkerungsschichten die Notwendigkeit einer aktiven Transplantationsmedizin eingesehen wird ...).

Am meisten schadete der Publicity ihrer Aktion jedoch, dass zur selben Zeit das Verhältnis der Finanzministerin zu einem beliebten jungen Fernsehstar aufgedeckt wurde, was alles andere aus den Schlagzeilen verbannte.

Die Lebensschützer bemühten sich mit allen Mitteln, die Diskussion um die Dupliks wieder anzufachen. Sie schrieben Leserbriefe, riefen bei Hörersendungen an, verteilten Videos, organisierten Demonstrationen.

Die größte Wirkung erhoffen sie sich aber von der TV-Sendung »Kontrovers«.

Als Jonas den Apparat einschaltet, sieht er schon das freundliche Lächeln des beliebten Moderators Jochen Müller, der gerade die Sendung einleitet:

»Herzlich willkommen, liebe Zuschauer und Zuschauerinnen, zur siebenundneunzigsten Folge unserer Diskussionsreihe ›Kontrovers‹.

Aus aktuellem Anlass beschäftigen wir uns heute wieder einmal mit dem Thema ›Dupliks – medizinischer Fortschritt oder Frevel?‹. Sie haben sicher alle von der unglaublichen Entführung eines Dupliks aus dem Hort Nordmark gehört. Nun spricht die eine Seite von einem terroristischen Anschlag, während die andere darin einen Akt der Menschlichkeit sieht. Wir haben heute Vertreter beider Meinungen zu uns ins Studio gebeten, um ihnen Gelegenheit zu bieten ihre Ansichten zu begründen.

Ich begrüße zu meiner Linken Frau Dr. Hellmann, Leiterin des betroffenen Hortes Nordmark, und Herrn Kahl, Abgeordneter der European Progress Party. Zu meiner Rechten darf ich Ihnen Prälat Weyer als Vertreter der Sekten vorstellen und Frau Haberland von den Lebensschützern. Und als letzten Gast begrüße ich Herrn Wieland von der Social Party, dessen Position, wie er nachher erläutern wird, eigentlich keiner der beiden Gruppen eindeutig zuzuordnen ist.

Bevor wir die Diskussionsrunde eröffnen, zeigen wir Ihnen – wie immer – zwei kurze Filme, die jede der beiden hier vertretenen Gruppen eigenständig produzieren konnte, um Sie in das Thema einzuführen.

Der erste Beitrag stammt von Frau Dr. Hellmann. Regie führte Baldur Galdig.«

Jonas sieht einen von dramatischer Musik unterlegten Spot über ein todkrankes Mädchen. Ärzte und Eltern sind verzweifelt, aber die Rettung naht. Das Mädchen hat einen Duplik, durch den seine kranken Organe ersetzt werden können. Am Ende strahlen alle: Mädchen, Ärzte, Eltern.

Eine sanfte Stimme fragt zum Bild des über eine blühende Wiese tanzenden Mädchens:

»Dieses Kind konnte gerettet werden. Dank der Vorsorge seiner Eltern. Dank des medizinischen Fortschritts. Wäre sein unnötiger Tod nicht ein schreckliches Verbrechen gegen die Gebote der Menschlichkeit?«

Jonas kraust angewidert die Nase. Jetzt muss ihr Spot kommen. Ob Jochen Müller es tatsächlich wagt, das Ilka gegebene Versprechen einzulösen und ...

Ja, jetzt kündigt er schon an: »Von den Lebensschützern erhielten wir für die Sendung ein ganz ungewöhnliches Dokument, ein Bekennervideo der Entführerin Ilka Helcken. Da die Lebensschützer dieses Video als ihren Beitrag zum Thema bringen wollen, möchte ich es Ihnen nicht vorenthalten.«

Jonas sieht seine Schwester. Sie steht vor einer weißen Wand und spricht direkt in die Kamera. Jonas weiß, dass sie den Spot in der Wohnung gedreht haben, in der sie sich versteckt halten. Aber alles, was einen Hinweis geben könnte, haben sie sorgfältig entfernt. Leider ist die Bildqualität erschreckend schlecht, aber mehr kann man von einer Aufnahme mit der Handkamera wohl nicht erwarten. Jonas lauscht atemlos jedem Wort:

»Ich heiße Ilka Helcken. Ich habe zwei Brüder. Beide heißen Jonas. Der eine hatte einen

Unfall und verlor seine Augen. Dem zweiten wurden seine Augen herausgenommen und dem ersten eingepflanzt. Jetzt kann der erste wieder sehen, aber der zweite ist blind. Wo ist da die viel gepriesene Wohltat des medizinischen Fortschritts?

Nun werden Sie vielleicht sagen, der zweite ist gar kein Bruder, sondern ein Duplik. Ich aber sage: Er ist mein Bruder. Er ist ein Mensch wie wir alle. Dass er von gewissenlosen Verbrechern hergestellt worden ist, um als Organlieferant ausgeschlachtet zu werden, macht nicht ihn zum Unmenschen, sondern seine Produzenten.

Ich habe meinen zweiten Bruder aus den Fängen dieser modernen Folterknechte befreit und möchte ihn hier vorstellen. Bitte überzeugen Sie sich selbst, dass Sie es hier mit einem denkenden und fühlenden Wesen zu tun haben und nicht mit einem gefühllosen Träger von potenziellen Ersatzteilen.«

Die Kamera schwenkt zu einem Stuhl vor einer ebenfalls weißen Wand. Auf ihm sitzt Jonas 7.

Jonas Helcken erschrickt. Natürlich weiß er, dass sein Duplik ihm gleicht, und doch durchzuckt es ihn wie ein elektrischer Schlag. Da sitzt sein Ebenbild und nur die starren Augen geben dem Gesicht einen fremdartigen Ausdruck.

Jonas 7 spricht leise und monoton. Er erzählt von seinem Leben im Hort. Wenige Sätze, die wie auswendig gelernt wirken. Doch dann kommt Ausdruck in seine Stimme und er schließt mit dem eindringlichen Appell: »Hört auf, Dupliks zu produzieren! Hört auf, uns vorhandene Dupliks zu verstümmeln und zu ermorden! Meine Befreierin fordert, alle Dupliks zu entlassen und als Menschen unter Menschen leben zu lassen. Ich kann zwar nicht für meine Mitdupliks sprechen, aber ich glaube, es würde ihnen gehen wie mir: Ich will nicht unter meinen Mördern leben! Überlasst uns die Horte! Lasst uns unser Leben in unserer Weise und in Duplikwürde beschließen. Ihr habt mich zum Nichtmenschen erklärt. Ich bin stolz darauf, kein Mensch zu sein. Alles, was wir von euch wollen, ist: Lasst uns in Ruhe!«

Jonas Helcken zittert. Das ist nicht mehr Ilkas vorformulierter Text. Das sind die Gedanken eines Dupliks.

Sie hatten erwartet, dass er um seine Anerkennung als Mensch kämpfen würde, wenn sie ihn erst über alles aufgeklärt hätten, und jetzt lehnt er selbst es ab, ein Mensch zu sein! Jonas ist völlig verwirrt und erst die erregte Stimme von Frau Dr. Hellmann lenkt seine Blicke auf den Bildschirm zurück.

»Herr Müller, sind Sie sich nicht im Klaren darüber, dass Sie sich als Moderator und leitender Redakteur dieser Sendung durch die Ausstrahlung dieses so genannten Bekennervideos der Unterstützung einer terroristischen Vereinigung und des Aufrufs zu Gewalttaten schuldig gemacht haben?«

Jochen Müller lächelt freundlich wie immer:

»Frau Dr. Hellmann, ich verstehe Ihre Aufregung, aber bitte berücksichtigen Sie, dass mir der Inhalt dieses Videos genauso unbekannt war wie der Inhalt des Spots, den Sie abgeliefert haben. Wir nehmen keinen Einfluss auf die Bearbeitung eines Themas durch die Diskussionspartner. Vielleicht wäre es am sinnvollsten, wenn Sie sich einmal zu dem Gesehenen äußern würden?«

»Die Sache wird noch ein gerichtliches Nachspiel für Sie und Ihren Sender haben, darauf können Sie gefasst sein.

So, und was das Video angeht: Ich kann nur sagen, dass dieser Duplik selbst seine sogenannten Beschützer am besten entlarvt hat, die glauben, selbstherrlich bestimmen zu können, was für ihn und seinesgleichen gut ist. Er sagt, dass er kein Mensch ist und auch keiner sein will. Und genauso ist es. Nach § 183a BGB sind Dupliks eine Sache. Es handelt sich bei der begangenen Straftat also um einen Raub und mitnichten um eine Befreiungsaktion.

Raub und schwere Sachbeschädigung, denn haben sich die Damen und Herren Lebensschützer vielleicht einmal überlegt, was aus dem Duplik Jonas 7 werden soll? Selbst wenn es der Polizei gelingt, ihn endlich aufzugreifen, können wir ihn nicht mehr in den Hort zurücknehmen. Er würde mit seinem jetzigen Wissen alle anderen nur unnötig beunruhigen. Und wir legen großen Wert darauf, dass es in unserem Hort friedlich und menschlich – Sie sind gleich dran, Frau Haberland, bitte unterbrechen Sie mich nicht –, ja, ich betone, menschlich zugeht. Was diesen Jonas 7 angeht, so ist er praktisch nur noch als nicht genidentischer Spender auf dem freien Markt zu verwenden, was einen erheblichen Wertverlust darstellt.«

»Ich danke Ihnen für Ihre Stellungnahme, Frau Dr. Hellmann.« Frau Haberland rutscht schon ganz unruhig auf ihrem Stuhl hin und her. »Was haben Sie denn Frau Dr. Hellmann zu entgegnen?«

»Ich finde das ungeheuerlich! Sie haben also vor, Jonas 7 zu ermorden, wenn Sie ihn finden. Nein, unterbrechen Sie mich jetzt bitte auch nicht! Ich sage ganz bewusst ermorden, denn darum handelt es sich. Diese Definition eines Dupliks als Sache ist einfach ein Unding. Sie sagen doch selbst, dass Jonas 7 genidentisch ist mit dem Menschen Jonas Helcken. Und das kann doch nichts anderes heißen als: Er ist wie der Mensch Jonas Helcken. Er hat die gleiche Substanz, die gleiche Gedanken- und Gefühlskapazität; folglich muss er auch wie ein Mensch behandelt werden. Wir Lebensschützer erheben schon seit Jahren die Forderung ...«

»Entschuldigen Sie, Frau Haberland, wenn ich Sie hier unterbreche. Die Forderungen der Lebensschützer dürften allgemein bekannt sein. Eine entgegengesetzte Position vertritt ja Ihre Partei, Herr Kahl. Die European Progress Party hat sich stets mit Nachdruck für eine Weiterentwicklung der Transplantationsmedizin eingesetzt ...«

»Ja, natürlich. Wer sich gegen das Rad der Geschichte stellt, aus noch so ehrenwerten Motiven, das will ich hier gar nicht in Abrede stellen, der begibt sich selbst ins Abseits.

Sehen Sie, es ist doch so: Als dem ersten Menschen das Herz eines anderen eingepflanzt wurde, da gab es genug Leute, die dachten, jetzt würde auch die Seele ihren Besitzer wechseln. Da kommen so ganz diffuse Vorstellungen zum Tragen. Und wie hat man sich gegen die Erzeugung von Embryonen zu Heilzwecken gewehrt, während gleichzeitig Millionen von Embryonen von ihren Müttern abgetrieben und dann nicht einmal verwertet wurden. Nun, dank unserer modernen Reproduktionstechnologie gibt es keine ungewollten Schwangerschaften mehr und die Herstellung und Verarbeitung von Embryonen, zum Beispiel zur Implantation von Nervenzellen in das Gehirn von Alzheimerpatienten, ist längst gängige Praxis. Auch die Erzeugung anencephaler Corpora ist heute ...«

»Entschuldigung, Herr Kahl, ich glaube, den

Begriff sollten Sie kurz erläutern, da er nicht allen unseren Zuschauern geläufig sein dürfte.«

»Ach so, ja, natürlich. Anencephale Corpora – großhirnlose Körper, so kann man das wohl übersetzen – jedenfalls, die werden ja zum Zwecke der Organentnahme von Frauen, gegen Bezahlung, versteht sich, ausgetragen. Um aber auf unser engeres Thema zurückzukommen: All diese unwissenschaftlichen Vorstellungen, dass zum Beispiel ein Zellhaufen schon ein menschliches Wesen darstellt, oder eben ein Säugling ohne Großhirn oder auch ein Duplik, die gehören doch nun wirklich einer finsteren Vergangenheit an. Mensch ist, wer zum Menschen geboren wurde. Das Menschsein kann sich doch nicht aus dem Vorhandensein eines bestimmten Chromosomensatzes bestimmen. Ein derartiger Biologismus ist in einer entwickelten strukturalistischen Gesellschaft einfach vorsintflutlich.«

»Herr Weyer, Sie sind Prälat der römisch-katholischen Sekte. Wie sehen Sie das Problem aus religiöser Sicht?«

»Also, wir lehnen jede künstliche Erzeugung von Lebewesen als Eingriff in das Schöpfungsrecht Gottes ab. Die Erzeugung von Dupliks ist ein schlimmer Frevel. Die Bibel ist die Botschaft der Liebe und diese Liebe gilt allen Mitgeschöpfen. Jedes Lebewesen in Not hat gleichen Anspruch auf Hilfe, sagt Franz von Assisi. Dieser Duplik, den wir eben im Video gesehen haben, ist in Not. Ihm gilt mein christliches Mitgefühl. Es ist unsere Pflicht, ihm wie einem Bruder zu helfen.«

Jonas Helcken stellt den Apparat aus. Er kann es nicht mehr ertragen. Warum schaltet sich diese blöde Haberland nicht stärker in die Diskussion ein? Wenn Ilka da säße!

Jetzt würde noch dieser Wieland von der Social Party sich darüber empören, dass die Fortschritte der Medizin mal wieder nur den höheren Kategorien zugute kommen, und würde das Recht auf Dupliks für alle fordern. Aufzunehmen in den Leistungskatalog der gesetzlichen Krankenkassen. Und dann ist die Sendezeit um.

Jonas starrt auf den Bildschirm – und sieht wieder den anderen Jonas vor sich. Auf einmal fühlt er, was er vorher nur gedacht hat: Dieser verkrampft wirkende Mann mit der eindringlichen Stimme ist sein Ebenbild, sein Alter Ego, sein Zwillingsbruder. Und noch nachträglich wird ihm flau im Magen, als er sich die eben gehörten Worte dieser Frau Dr. Hellmann ins Gedächtnis zurückruft:

»Wir werden Jonas 7 dem freien Spendermarkt zur Verfügung stellen, wenn wir ihn finden.«

Würden sie das wirklich wagen? Und was ist jetzt mit Ilkas Plan, auf dem Höhepunkt einer Medienkampagne mit Jonas 7 an die Öffentlichkeit zu treten, sein Weiterleben in der menschlichen Gesellschaft zu fordern und damit einen Weg für die Befreiung aller Dupliks zu ebnen?

Ist das Risiko nicht viel zu groß?

Das Telefon klingelt. Ein Mitarbeiter der European South TV bittet Jonas um ein Interview. Er vereinbart einen Termin für morgen früh. Bisher hat er sich allen Anfragen verweigert, die schon nach Bekanntwerden der Flucht seines Dupliks an ihn gerichtet worden waren. Aber jetzt ist der richtige Zeitpunkt gekommen.

Am nächsten Tag gibt er von morgens bis abends Interviews, lässt sich fotografieren, filmen, antwortet geduldig auch auf die dümmsten Fragen. Immer wieder erläutert er, dass er zuerst entsetzt über die Tat seiner Schwester gewesen sei, dass er aber mittlerweile erkannt habe, dass sie aus tiefem menschlichem Mitgefühl gehandelt habe; dass er jetzt wünsche, seinen Bruder – dieses Wort betont er – kennenzulernen, ihm beizustehen und alles zu tun, um ihm über den Verlust seiner Augen hinwegzuhelfen. Er fordert, seinen Bruder in Freiheit leben zu lassen und auch alle anderen Dupliks aus der mörderischen Haft zu entlassen.

Am Abend schläft er völlig erschöpft ein. Im Traum wird er von Frau Dr. Hellmann mit einem Krummschwert verfolgt. Er stolpert. Sie steht mit dem Schwert über ihm. Er schreit: »Ich bin es nicht!« Noch im Aufwachen: »Ich bin es doch nicht!«

Beim Frühstück am nächsten Morgen sieht er sich auf dem Bildschirm seine Statements abgeben. Die »Aktuelle Frühkamera« bringt Ausschnitte aus der Kontroversdiskussion. Das Bekennervideo wird in voller Länge noch einmal ausgestrahlt. Aus dem Radio tönt Jonas: »Lasst uns in Ruhe!«, und auch die Zeitungen bringen Berichte, Kommentare und Fotos. Die viel gelesene Daily hat Fotos der beiden Jonas nebeneinandergedruckt und macht mit der Schlagzeile auf: »Welcher ist der Mensch?« Ilkas Zeitung fordert für den kommenden Sonnabend zur Demonstration direkt am Hort Nordmark auf, ungeachtet der Schutzmeile.

Jonas wundert sich. Offenbar hat der Anblick des Jonas 7 bei seinen visuell geprägten Zeitgenossen mehr bewirkt als jahrelange intellektuelle Auseinandersetzungen.

Die Duplikologen wissen schon, warum es streng verboten ist, Dupliks zu fotografieren. Sie stützen sich auf die nebulöse Vorstellung vom ganz andersartigen Wesen, die sie verbreiten und der er selbst auch lange Zeit erlegen war, wie er sich jetzt eingesteht.

Insoweit hat Ilka die Wirkung des Videos richtig berechnet. Aber gerade dieser Erfolg beunruhigt Jonas. Ilka darf jetzt nicht unvorsichtig werden. Wird sie die Gunst der Stunde ausnutzen wollen und mit Jonas 7 ihr Versteck verlassen? Kann die mobilisierte Öffentlichkeit wirklich verhindern, dass er im Namen des Volkes zerstückelt wird? Der Staat kann sich ein Nachgeben gar nicht erlauben, ohne dass die gesamten Prinzipien der Duplikologie in frage gestellt werden.

Jonas denkt an seinen Traum. Nein, er wird nicht noch einmal Verrat an seinem Bruder begehen. Jonas 7 muss gerettet werden! Unter keinen Umständen darf er auch nur dem geringsten Risiko ausgesetzt werden, in die Hände seiner Mörder zu geraten.

Jonas beschließt, noch am selben Abend auf dem vorher verabredeten Weg mit Ilka Kontakt aufzunehmen, um sie vor dem Schritt in die Öffentlichkeit zu warnen.

Als er gegen 19 Uhr das Continental betritt, sind erst wenige Gäste da. Kurz nach ihm kommt eine junge Frau ins Lokal und setzt sich an den gegenüberliegenden Tisch. Obwohl Jonas sie noch nie im Leben gesehen hat, ist ihm klar, dass es sich um eine Staatsvoyeurin handelt. Er bestellt ein Bier bei dem Kellner, der eigentlich Medizinstudent ist und seit Jahren zu Ilkas Gruppe gehört.

Unaufgefordert bekommt er die Speisekarte. In einem unbeobachteten Moment legt er einen kurzen Brief an Ilka zwischen die Getränkeseiten.

Liebe Ilka,

Kontroverssendung hat gewünschten Medienrummel ausgelöst, aber Vorsicht! Ich habe von einem der Reporter, die mich interviewt haben, erfahren, dass Dr. Hellmann wegen der Flucht in einen Provinzhort in Oberitalien versetzt werden soll. Damit wäre ihre Karriere am Ende. Wenn Jonas 7 in ihre Hände gerät, wird sie sich grausam an ihm rächen!

Denk an ihre Warnung, ihn dem freien Spendermarkt zur Verfügung zu stellen! Sie darf ihn nicht kriegen! Ihr müsst weiter in eurem Versteck bleiben. Ich werde von mir aus alles unternehmen, um die Diskussion weiter anzuheizen. Bitte melde dich!

Jonas

Zwei Tage später isst er wieder im Continental. Diesmal liegt ein Brief für ihn aufgeschlagen in der Speisekarte. Ohne erkennbare Gemütsbewegung liest er:

Lieber Jonas,

habe deine Warnung erhalten. Sie zeigt mir, dass du den Sinn unseres Planes überhaupt nicht verstanden hast. Du bist wie immer von deinem individuellen Standpunkt an die Sache herange-

gangen, nämlich deinen Duplik zu retten. Mir aber geht es um die politische Lösung, mir geht es um alle Dupliks. Ich habe Jonas 7 entführt, um eine Kampagne gegen die Duplikhaltung zu starten. Dass er dadurch in Gefahr geraten könnte, war von vornherein nicht auszuschließen. Wenn wir es jetzt nicht wagen, an die Öffentlichkeit zu gehen, ist die Chance ein für alle Mal verpasst und wir haben nichts erreicht!

Nimm bitte Kontakt mit Jochen Müller auf, ob wir in sein Studio kommen können. Im Licht der Scheinwerfer sind wir am sichersten.

Übrigens können wir Jonas 7 nicht länger hier versteckt halten. Er wird von Tag zu Tag depressiver. Seine Blindheit und die eigene Untätigkeit machen ihn krank. Gib schnell Nachricht!

Ilka

Jonas liest den Brief zu Ende, klappt die Speisekarte zu und bestellt ein Steak. Er isst das Gericht zur Hälfte auf und verlässt das Lokal, um in seine Wohnung zurückzukehren. Ein Mann, der ausgiebig das Schaufenster des gegenüber dem Continental gelegenen Geschäftes betrachtet hat, nimmt jetzt Jonas' Verfolgung auf.

Zu Hause angekommen, schleudert Jonas seine Schuhe gegen den Spiegel, schmeißt eine herumstehende Tasse an die Wand und trommelt auf seinen Tisch, bis ihm die Füße wehtun.

Betrogen! Verraten! Verkauft! Warum hat er sich für Ilkas Sache einspannen lassen! Er wollte doch nur seinen Duplik, seinen Bruder befreien! Und jetzt will sie Jonas 7 auf dem Altar ihres politischen Ziels opfern. Schöne Lebensschützerin! Was sagt Jonas 7 dazu? Wird der überhaupt gefragt, ob er den Märtyrer spielen will? Pah – wie Jonas seine Schwester kennt, wird sie seinem Duplik eintrichtern, dass nur er seine Mitdupliks retten kann. Und was wird geschehen? Frau Dr. Hellmann wird ihn in Einzelteile zerlegen, die Medien werden eine Zeit lang Aufregung verbreiten, bis der nächste Skandal kommt. Dann interessiert sich keiner mehr für die Dupliks. Aber sein Bruder ist tot.

Nein, verdammt noch mal. Nein! Er spielt nicht mehr mit. Keiner soll über Jonas 7 verfügen können. Auch Ilka nicht. Jonas 7 muss weg. Von ihr. Von hier. Ja, raus aus Europa. Aber wohin? Wer würde ihn aufnehmen? Und vor allem ... wie könnte man ihn über die Grenze schmuggeln?

Jonas läuft in seiner Wohnung auf und ab. Er lässt sich Kaffee kochen, zerpflückt drei Papiertaschentücher, aber er kommt der Lösung nicht näher. Wenn er nur mit jemandem darüber reden könnte!

Und da denkt er wieder an ihn. »Wenn du Hilfe brauchst, ich helfe dir gern.«

Ja, wenn ihm jemand helfen kann, dann nur Mehmet.

Die gefährliche Befreierin

Max bittet Jonas herein.

»Mehmet liegt im Schlafzimmer. Es geht ihm nicht gut.«

»Oh, vielleicht ist es dann besser, wenn ich ...«

»Nein, er möchte dich sehen.«

Jonas betritt den Schlafraum. Mehmet liegt in einem großen Bett und schaut ihn mit weit aufgerissenen Augen an. Zur Begrüßung senkt er kurz die Augenlider. Seine Haut scheint Jonas noch fahler als beim letzten Besuch zu sein.

Jonas setzt sich auf einen Stuhl neben das Bett. Auf einem Tisch neben dem Kopfende steht der Monitor. Die Tastatur liegt auf der Bettdecke unter Mehmets linker Hand.

Jonas bittet leise: »Mehmet, antworte bitte ausschließlich visuell. Ich möchte nicht, dass irgendjemand uns hört.«

Laut sagt er: »Ich wollte nur mal gucken, wie's dir geht, alter Junge!«

Mehmets Sprachautomat antwortet kurz: »Schlecht. Ich habe seit Tagen Fieber.«

Auf dem Monitor erscheint die Antwort: »Du hängst in der Entführung deines Dupliks mit drin, stimmt's?«

Jonas nickt und erzählt in knappen Worten,

was sich seit seinem letzten Besuch zugetragen hat.

»Jetzt weiß ich nicht mehr weiter. Ich fürchte, ich habe die Sache nicht genau genug durchdacht. Ich habe meinen Part bei der Befreiung gespielt. Für das Nachfolgende war Ilka zuständig. Und jetzt habe ich Angst, sie will Jonas 7 für ihre Medienkampagne opfern. Das muss ich verhindern, verstehst du?«

Mehmet antwortet nicht.

»Es gibt nur einen Ausweg«, redet Jonas weiter, »er muss raus aus Europa. Nur außerhalb Europas ist er vor Dr. Hellmann und ihren Schergen sicher. Aber wohin? Und wie kommt er über die Grenze?«

Nach kurzer Zeit tippt Mehmet etwas ein: »Auf die bewährte Art.«

Jonas schaut ihn fragend an. Doch langsam dämmert ihm die Bedeutung von Mehmets Antwort.

»Du meinst, er soll als Jonas Helcken reisen, ja? Mit meiner Genkarte. Na klar! Dass ich da nicht selber draufgekommen bin! Bleibt noch die Frage – wohin?«

Auf dem Monitor erscheint nur ein Wort:

»Tibet.«

»Tibet? Hast du da etwa noch Connections?«

»Geh an das Bord rechts von meinem Bett. Viertes Regal von oben. Grünes Fotoalbum. Schau es dir an!«

Jonas holt das Album und blättert darin. Er sieht einen dreizehn Jahre jüngeren Mehmet mit seinem damaligen Pfleger vor dem Tadsch Mahal, vor einem riesigen goldenen Buddha, vor dem Hotel Europe in Neu-Delhi. Auf den letzten Seiten des Albums befinden sich die Tibet-Bilder: eine graue Klosteranlage, die aussieht, als sei sie in einen Berg hineingebaut. Ein Bild, auf dem Mehmet im Lotussitz einem Mönch in roter Kutte gegenübersitzt. Viele Mönche beim Gebet. Eine mit Blumen geschmückte Buddhastatue. Yaks vor einer Wasserstelle. Einen Sonnenuntergang hinter Klostertürmen.

Jonas schlägt das Album zu. Inzwischen hat Mehmet eine längere Erklärung eingetippt.

»Ich bin fast zwei Monate in dem kleinen Kloster Nehtang gewesen. Du weißt vielleicht, dass es nur noch wenige Klöster in Tibet gibt, in denen Mönche leben. Die meisten von den Chinesen zerstörten Klöster sind zwar wieder aufgebaut worden, aber dienen nur noch als Museum und Touristenattraktion.

In Nehtang aber leben noch ungefähr dreißig Mönche nach den uralten Gesetzen des Lamaismus. Ich habe mich dort mit dem Lama Wangün angefreundet. Er gilt als Rinpotsche, als Wiedergeburt eines Bodhisattvas aus dem 15. Jahrhundert. Ein sehr weiser, herzlicher Mensch. Er hat mir einen Einblick in den tantrischen Buddhismus Tibets gegeben, der mich sehr beeindruckt hat. Höchstes Ziel ist die Erreichung der Bedürfnislosigkeit. Eine Philosophie, die mich fasziniert, obwohl sie meinen Ansichten völlig entgegengesetzt ist ...

Ich habe viele Gespräche mit dem Lama Wangün geführt, mit ihm meditiert, ihm meine Ideen zu erklären versucht. Er hat mir angeboten, bei ihnen zu bleiben. Ich hätte es einerseits gern gemacht. Aber ich wusste, ich würde dort auf Dauer nicht leben können. Es ist nicht meine geistige Welt. Aber auch rein praktisch wäre es nicht gegangen. Es gibt dort nicht einmal elektrischen Strom, Licht spenden die unzähligen Butterlampen und das Wasser holen sie aus einem Bergbach. In meinem jetzigen Zustand könnte ich dort ohne technische Hilfsmittel und optimale medizinische Versorgung gar nicht leben. Aber ein Traum ist geblieben. Einmal noch nach Tibet kommen ... Noch einmal mit Wangün ranzigen Buttertee trinken, Tsampa essen und der Illusion der stillstehenden Zeit erliegen ...

Gut, dieser Traum wird sich nicht erfüllen. Ich habe Wangün jedes Jahr eine beträchtliche Summe für das Kloster überwiesen. Und du weißt, wie wertvoll für Tibeter Devisen sind. Von dem Geld, das wir hier an einem Tag verbrauchen, kann ein Mönch ein ganzes Jahr leben.«

Jonas liest die Zeilen. Und obwohl er begreift,

welche Möglichkeiten ihm Mehmet damit eröffnen will, fühlt er eine Enge in der Brust. Mehmets Traumdomizil! Nein, der Freund wird es nicht mehr erreichen.

Doch Mehmet hat schon weitergetippt:

»Dein Duplik würde von den tibetischen Mönchen herzlich aufgenommen und aufs Beste versorgt werden, wenn ich ihm einen Brief mit dem vereinbarten Codewort mitgebe.«

»Wozu ein Codewort?«

»Daran erkennt Wangün, dass der computergeschriebene Brief wirklich von mir stammt.«

»Ach ja, natürlich. Entschuldige!«

Mehmets Augen glänzen. Ist es das Fieber? Jonas legt seine Hand auf Mehmets knochige Finger.

»Ich werde darüber nachdenken. Vielleicht ist es ein gangbarer Weg.« Und nach einer Weile fügt er hinzu: »Du bist mein einziger wirklicher Freund, Mehmet, weißt du das?« Doch Mehmet hat die Augen geschlossen.

Wieder zu Hause angekommen, lässt sich Jonas Mehmets Vorschlag noch einmal in Ruhe durch den Kopf gehen. Natürlich gibt es noch eine Menge Fragen zu klären. Wie kann er seinen Duplik aus Ilkas Fängen befreien? Freiwillig wird sie ihren Trumpf nicht hergeben. Jonas weiß zwar, wo sich die beiden versteckt halten, aber er wird Ilka aus Bernds Wohnung locken müssen, um an Jonas heranzukommen. Wie pervers! Jetzt muss er seinen Bruder von seiner Befreierin befreien!

Doch da wird sich eine Möglichkeit finden. Was Jonas hauptsächlich Sorge bereitet, ist die Frage des Grenzübertritts. Er muss sichergehen, dass es an der Grenze keine Probleme geben wird. Am besten, er selbst probiert es aus. Ihm kann ja nichts passieren. Aber auf keinen Fall nach Tibet. Er darf ihnen keine Hinweise auf den geplanten Aufenthaltsort für seinen Duplik liefern. Ein Wochenendtrip nach Hawaii – das wäre genau das Richtige.

Das Telefon klingelt und meldet den Anruf seines Vaters. Zuerst will er nicht abheben, aber er fürchtet, dass sein Vater ihm dann womöglich einen Besuch abstatten wird. Und er fühlt sich im Moment überhaupt nicht in der Lage, eine Auseinandersetzung mit ihm zu führen. Er steckt mitten im Strudel der Ereignisse, zu viel ist mit ihm und durch ihn passiert, was sein Vater nie verstehen würde. Später einmal wird er versuchen, ihm alles zu erzählen. Und ihn nach der Vergangenheit zu fragen. Aber nicht jetzt.

Er greift zum Hörer.

Geduldig lässt er fünf Minuten lang die Empörung seines Vaters über seine unfassbaren Äußerungen in den Interviews über sich ergehen. Während er unbeteiligt zuhört, kommt ihm eine Idee:

»Papa, du hast wahrscheinlich recht«, sagt er, als am anderen Ende eine Pause eintritt. »Ich bin einfach ziemlich durcheinander, weißt du. Erst mein Unfall, dann die Flucht meines Dupliks und jetzt dieser ganze Medienrummel. Ich bin mit den Nerven fix und fertig. Am liebsten würde ich mal ein Wochenende richtig ausspannen. Weg von hier. Sonne, Meer, baden, vielleicht ein bisschen reiten.«

»Und warum tust du es nicht?«

»Mein Traum wäre Hawaii. Aber ich fürchte, dazu reicht mein Kleingeld nicht mehr.«

»Wenn dich der Trip wieder zur Vernunft bringt, soll es am Geld nicht scheitern. Ich tippe gleich eine Überweisung ein, dann kannst du in zehn Minuten buchen, wenn du willst.«

»Oh, das nenne ich prompte Erfüllung von Wunschträumen. Vielen Dank.«

Jonas hat zwar durchaus noch genug Geld für die Wochenendtour, denn der monatliche Unterhalt durch seinen Vater ist mehr als großzügig bemessen. Aber es gilt ja nicht nur, *seine* Reise zu finanzieren.

Der Hawaiitrip

Bereits am nächsten Mittag sitzt er im Flugzeug nach Hawaii.

Nach der Ankunft wartet er im Flughafen auf den einzigen Zweck seiner Reise: den Identitäts-Check-up.

Äußerlich ruhig übergibt er dem Kontrolleur seine Genkarte und stellt sich vor die Sensorschranke. Ein grünes Lämpchen bestätigt die Identität der Karte mit dem Reisenden. Der Kontrolleur stutzt und ruft einen Kollegen zu sich. Ein Adrenalinstoß bringt Jonas in Habtachtstellung. Nach kurzer Tuschelei bitten die Kontrolleure Jonas, ihnen in einen kleinen Raum zu folgen. Hier wird er von zwei weiteren Männer begrüßt und gebeten, Platz zu nehmen. Jonas versucht sein Herzrasen durch gezielte Muskelentspannung unter Kontrolle zu bringen und seinem Gesicht den Ausdruck ahnungsloser Neugierde zu verleihen. Einer der Männer liest aufmerksam den Computerausdruck, kommt dann zu ihm und überreicht ihm einen der herumliegenden Prospekte.

»Entschuldigen Sie, Herr Helcken, eine reine Routinemaßnahme. Wären Sie so nett, uns diesen Prospekt vorzulesen?«

Jonas liest laut: »Hotel Auberge, erstes Haus am Platz, Aircondition, Swimmingpool, Cinema, Playroom, Reiten, Tennis, Golfanlage, Segeln . . .«

»Danke, das reicht schon. Entschuldigen Sie nochmals die Belästigung. Sie können jetzt den Check-up passieren.«

Jonas erhebt sich, schüttelt den Kopf.

»Darf ich fragen, was das Ganze soll?« Der Mann lächelt verbindlich.

»Selbstverständlich. Wir haben auf unserem Fahndungschip einen Jonas 7, Ihren entflohenen Duplik, wie Sie wohl wissen. Unterscheidungsmerkmal: blind.«

»Aha. Die Leseprobe diente also dem Beweis meiner Sehfähigkeit. Ich verstehe.«

»Sehr richtig, Herr Helcken.«

»Aber mein Duplik besitzt doch gar keine Genkarte. Von daher könnten Sie eigentlich ganz beruhigt sein, weil er Ihre Grenze ja nicht passieren kann.«

»In den Besitz einer Genkarte, *Ihrer* Genkarte, könnte er – rein theoretisch natürlich – ja gelangen. Aber nicht in den Besitz Ihrer Sehkraft. Wir gehen da gern auf Nummer sicher.« Niedergeschlagen verlässt Jonas den Flughafen. Die Grenzen sind dicht für Jonas 7, sein Plan zum Scheitern verurteilt. Er ist nur froh, dass er diesen Testflug gemacht hat. Jonas 7 an seiner Stelle wäre jetzt verhaftet worden.

Er lässt sich ins Hotel fahren. Er wird der Blondine, die im Flugzeug schräg hinter ihm saß und die er jetzt an der Rezeption wiedertrifft, einen fröhlichen Wochenendurlauber vorspielen.

Vielleicht wird er sogar mit ihr anbändeln, wird ihr die Story des von seiner gerissenen Schwester übertölpelten Naiven andienen, zur gefälligen Weitergabe an ihre Dienststelle.

Jonas liegt am Swimmingpool. Seine entspannten Gesichtsmuskeln verbergen das verzweifelte Grübeln über einen Ausweg für Jonas 7. Tausend Gedanken springen zwischen seinen Synapsen hin und her. Keiner ergibt auch nur den Ansatzpunkt einer Lösung.

»Die Gedanken sind frei.« Dieses uralte Lied kommt ihm in den Sinn. Wie gut, dass es noch keine Möglichkeit gibt, sie sichtbar zu machen. Aber was nützt ihre Freiheit, wenn sie so entsetzlich wirr und unbrauchbar sind wie im Moment? Jonas wischt sich den Schweiß von der Stirn. Er muss sich abkühlen. Die Sonne zerkocht seine Gedanken.

Er geht unter die Dusche, zieht sich an und empfindet die Aircondition im Zimmer als sehr angenehm. Vielleicht sollte er sich mal ablenken. In der Schulzeit hat er auch erst mal Musik gehört, wenn er mit einer Matheaufgabe nicht weiterkam. Danach ging es oft viel leichter.

Auf dem Weg zum Fahrstuhl sieht er eine Leuchtanzeige: »Unser Hotelkino zeigt heute den Film ›Verratene Insel‹.« Er geht hinein. Er hat sich kaum hingesetzt, als ihm klar wird, dass auf der Leinwand einer der beliebten Monsterfilme abspult. Gerade blickt ihn ein Zyklop mit seinem furchterregenden Riesenauge an und stößt unartikulierte Drohungen aus. Jonas steht gleich wieder auf und verlässt den Raum.

Warum die Menschen nur so gerne Monsterfilme sehen? Die wahren Monster sehen ganz harmlos aus. Wie Frau Dr. Hellmann, zum Beispiel. Was ist dagegen so ein lächerlicher Zyklop?

Noch bevor er diesen Gedanken zu Ende gedacht hat, ist ein neuer da. *Der* Gedanke! Der Zyklop! Ja, natürlich, das ist es!

Aufgeregt fährt er in sein Zimmer. Und während er hin und her geht, formt sich aus der ersten Eingebung langsam ein präziser Plan.

Er ist froh, als er endlich wieder zurückfliegen kann.

Schon während des Fluges versucht er zwei entscheidende Probleme gedanklich zu lösen: Er muss sich der Beobachtung durch die Staatsvoyeure entziehen und er muss diesen Professor Jaffle, der ihm das Gutachten für den Blutaustausch geschrieben hat, von seiner Sache überzeugen und ihn zur Mitarbeit bewegen. Wenn ihm das nicht gelingt . . .

Es muss einfach gelingen!

Als das Flugzeug landet, steht sein Plan. Jetzt kommt es nur noch darauf an, dass alle beteiligten Personen so handeln, wie sie sollen.

Om mani padme hum

Zu Hause ruft er erst mal die Nachrichten auf seinem TV ab. Er erfährt, dass ihre Aktion immer höhere Wellen schlägt. Er sieht einen Film von einer Demonstration vor dem Hort Nordmark III.

Bei dem Versuch, die Schutzmeile zu durchbrechen, sind viele Demonstranten durch Distanzwaffen der Polizei bewusstlos gestrahlt worden. Transparente mit Losungen wie »Dupliks raus, Minister rein« oder »Her mit den Dupliks!« sind zu lesen. Parlamentarier der konservativen Partei haben eine Sondersitzung des Europaparlaments beantragt und Bürgerkomitees fordern das Recht auf Einsichtnahme in alle Horte.

Die Sicherheitsministerin beschuldigt die Lebensschützer des Terrorismus. Der Minister für Ethik fordert bessere Lehrpläne, um die Jugend immun gegen terroristische Ideen zu machen. Der Präsident der Europäischen Ärztekammer warnt vor einem nicht wiedergutzumachenden Rückschritt in der Medizin.

Der Popstar Ariane singt »Duplik love is sexy love«.

Jonas schaltet den Apparat ab. Endlich ist Bewegung in die erstarrten Fronten gekommen! Aber das erhöht auch die Gefahr. Ilka wird nicht mehr warten wollen. Er muss ihr zuvorkommen. Also los!

Er ruft in der »Jaffle Privatklinik für konservative Transplantationschirurgie« an und bittet den Arzthelfer um einen Termin bei Professor Jaffle.

»Passt Ihnen Donnerstag um 11 Uhr?«

»Geht es nicht früher? Ich habe eine höllisch schmerzhafte Entzündung an einem transplantierten Auge.«

»Hmm, das ist schwierig. Oder können Sie gleich morgen früh um 7 Uhr in unsere Akut-Sprechstunde kommen?«

»Ja, das ist prima. Das passt mir sehr gut. Vielen Dank.«

Jonas legt den Hörer auf und hofft, dass die Lauscher registriert haben, wann – und vor allem warum – er Professor Jaffles Klinik aufsuchen wird.

Er schreibt einen Brief an Ilka, in dem er sie dringend bittet, zu einem Treffen mit ihm in ein Restaurant am Gorbatschow-Platz zu kommen. Nur das Datum und die Uhrzeit lässt er noch frei.

Er fleht seine Schwester an, bis dahin noch nichts zu unternehmen, und deutet an, dass er mit Jochen Müller und South TV eine großartige Möglichkeit für einen öffentlichen Auftritt arrangiert hat.

Als Nächstes bespricht er ein Brief-Tape für

Jonas 7. Er wählt seine Worte sehr sorgfältig. Sicherlich wird sein Duplik misstrauisch sein. Aber er muss ihn dahin bringen, ihm die Tür zu öffnen.

Endlich ist er zufrieden mit seiner Ansprache auf dem Tape. Seine Anspannung löst sich und eine bleierne Müdigkeit erlöst ihn vor weiteren Wenn und Aber.

Als Jonas am nächsten Morgen um 8 Uhr die Klinik von Professor Jaffle verlässt, möchte er am liebsten vor Freude in die Luft springen. Aber er beherrscht sich. Seine Beobachter sollen in ihm einen unter Schmerzen leidenden Patienten sehen, der bei Professor Jaffle um Hilfe nachgesucht hat.

Um Hilfe hat er den Professor tatsächlich gebeten und er hat geglaubt, erst lange reden zu müssen, um ihm sein Anliegen klarzumachen. Aber Professor Jaffle hat die Situation nicht nur nach wenigen Worten erfasst, er scheint auch ein Mann schneller Entschlüsse zu sein.

»Ich bin ein alter Mann«, hat er gesagt. »Ich habe nichts zu verlieren, woran mein Herz hängt, außer ... außer meiner Tochter. Und die würde mich verachten, wenn ich Ihnen meine Hilfe verweigerte.«

»So? Vielleicht wäre es doch besser, wenn Ihre Tochter von dem Plan nichts erfahren würde. Schließlich arbeitet sie in Ilkas Gruppe mit ...«

Professor Jaffle schmunzelte: »Sie kennen Janina nicht! Sie hat schon lange Probleme mit dem Dogmatismus der Gruppe. Sie teilt mit Ihrer Schwester zwar die Ziele – aber nicht den Weg. Sie wird sich hundertprozentig für die Rettung Ihres Dupliks einsetzen, da können Sie sicher sein!«

»Und Sie, Herr Professor?«

»Ich habe mich immer gegen die Duplikhaltung ausgesprochen. Ich denke, in späteren Zeiten wird man darüber urteilen wie heute über die Sklaverei. Aber bisher habe ich nur passiven Widerstand geleistet, indem ich meinem Glauben gemäß die Transplantation von Duplikorganen abgelehnt habe.

Ich habe dann das Gutachten für den Blutaustausch geschrieben. Das war noch kein großes Risiko für mich.

Jetzt wird ein bisschen mehr von mir gefordert. Bitte schön. Gott wird mir auch dazu die Kraft geben. Aber jetzt gestatten Sie mir auch, Sie zu fragen, ob Sie sich über Ihr Risiko im Klaren sind?«

Jonas hat den kleinen, weißhaarigen Mann, dessen lebhafte grüne Augen eine ungebrochene Vitalität ausstrahlen, sofort verstanden. Er meinte nicht das strafrechtliche, sondern das medizinische Risiko.

Jonas fährt ins Continental und bestellt ein Frühstück. Er hat seinen Voyeur schnell ausgemacht. Durch seinen direkten Blick nötigt er seinen Widersacher, unbeteiligt wegzugucken, sodass er schnell den vorbereiteten Brief an Ilka in die Speisekarte stecken kann. »Donnerstag um 9.30 Uhr«, hat er noch in der Klinik in seinen Brief eingefügt. Jetzt kann er in Ruhe frühstücken.

Gesättigt und voller Elan fährt er mit der City-Bahn zu Mehmet, um sich den versprochenen Empfehlungsbrief für den Lama in Tibet abzuholen.

Max öffnet die Tür. Rot geweinte Augen sehen Jonas an. Noch bevor Max etwas gesagt hat, weiß Jonas alles.

»Komm rein!«

Max schließt die Tür hinter ihm und zeigt auf einen Sessel. »Du kommst zu spät. Vor einer Stunde haben sie Mehmet abgeholt. Heute Nacht ist er gestorben. Um 3 Uhr.«

Max' Stimme klingt fast so wie der Sprachcomputer, auch als er hinzufügt: »Er war ein wunderbarer Mensch.«

Jonas fühlt sich vollkommen leer. Jetzt nur nicht ohnmächtig werden!

Er legt den Kopf auf seine Knie. Seine Augen füllen sich mit Tränen.

Mehmet. Sein einziger Freund.

Eine tiefe Trauer überkommt ihn. Die Luft wird schwer und das Licht diffus.

Mehmet. Das Erwartete ist unerwartet geschehen.

Der Brief!

Jonas richtet sich plötzlich auf.

Ohne den Brief würden die Mönche Jonas 7 nicht aufnehmen.

Jonas heult auf. Er heult wie ein gefolterter Hund.

Alles ist umsonst. Sein Freund ist tot. Seinen Bruder werden sie zerstückeln. Seine Schwester wird den Mord provozieren, wie sein Vater den Selbstmord seiner Mutter, die nicht seine leibliche Mutter war.

»In was für einer Welt leben wir eigentlich?«, schreit er und heult weiter, bis ihm die Lungen so wehtun, dass er nach Luft schnappt.

Max sitzt ihm die ganze Zeit stumm gegenüber. Als Jonas endlich still ist, sagt er: »Man muss sich ausweinen, sonst frisst es einen von innen auf.«

Jonas antwortet nicht.

»Mehmet hat dir etwas hinterlassen. Komm mit!«

Jonas folgt Max in das Schlafzimmer mit dem zerwühlten Bett.

»Hier!«

Max drückt Jonas eine kleine Buddhastatue in die Hand. »Und diesen Brief hat er gestern Abend noch eingetippt, obwohl er schon fast 40 Grad Fieber hatte.«

Jonas nimmt den Umschlag, der an ihn adressiert ist, in Empfang.

Er wagt nicht zu hoffen, doch er öffnet ihn sofort. Und entnimmt ihm einen zweiten, nicht zugeklebten Umschlag mit der Aufschrift »To Lama Wangün – Nehtang – Tibet«. Er setzt sich auf die Bettkante und liest den in Englisch abgefassten Brief, in dem sein verstorbener Freund den Lama Wangün um die Aufnahme des Überbringers dieser Botschaft in das Kloster Nehtang bittet und um die Lesung des Bardo Thödol für den Übergang seiner Seele ins Totenreich.

Unterschrieben ist der Brief mit »Mehmet« und den Jonas unverständlichen Worten »Om mani padme hum«, in denen er das verabredete Codewort vermutet.

Er legt den Brief beiseite und streichelt mechanisch die kleine bronzene Buddhastatue. Seine Tränen rinnen über die Gestalt des Erleuchteten.

Die Schuld

Der Gefühlssturm nach Mehmets Tod hat in Jonas eine Wüste hinterlassen. Er tut zwar, was er sich vorgenommen hat, aber er kommt sich vor wie ein Roboter, der sein Programm abspult.

Bevor er am Donnerstagmorgen losgeht, ruft er die Nachrichten ab.

Der Minister für Ethik wehrt Rücktrittsforderungen der Opposition als offensichtlich unbegründet ab. – Die Leitung des Hortes Nordmark III ist Frau Dr. Hester übertragen worden. – Der Papst fordert in einem Grußwort an die Mitglieder seiner Sekte zu Toleranz und Achtung vor der Würde des Lebens auf. – Der Sprecher der Lebensschützer fordert, die Menschenrechtscharta auch auf Dupliks auszudehnen. – Der Polizeipräsident teilt mit, dass sie allen Hinweisen aus der Bevölkerung nachgehen und einige vielversprechende Spuren verfolgen. – Frau Dr. Malthus befinde sich weiterhin in Untersuchungshaft.

Mit einem Achselzucken schaltet Jonas das TV aus. Er telefoniert mit seinem Vater, schickt ein Telefax an South TV und macht sich auf den Weg.

Um 8.50 Uhr trifft er in Professor Jaffles Klinik ein. Er fährt mit dem Fahrstuhl in den Keller, zieht dort den bereitgelegten Kittel über, setzt die Schirmmütze mit der Aufschrift »Wäsche-Service« auf und verlässt durch den Zubringereingang die Klinik. Er steigt in den hellblauen Lieferwagen, der ebenfalls die Aufschrift »Wäsche-Service« trägt, und fährt los, vorbei an dem vor dem Haupteingang geparkten roten Amerigo, in dem er seine Voyeure vermutet.

Um 9.15 Uhr steht er vor dem Haus, in dem Jonas 7 versteckt gehalten wird. Jetzt muss Ilka unterwegs zum Gorbatschow-Platz sein. Er sucht die Namensschilder ab. Bernd Kemmrath, VI. Stock. Das ist es. Jonas fährt mit dem Fahrstuhl bis vor die Wohnungstür.

Gleich wird er seinen Duplik, nein, seinen Bruder sehen. Zum ersten Mal. Leibhaftig.

Doch er empfindet nichts. Er erfüllt sein Programm. Er steckt das Brief-Tape durch den Briefschlitz und klingelt. Er horcht. Wenn sich Jonas 7 der Tür genähert hat, dann für ihn unhörbar.

Jetzt hört er leise seine eigene Stimme. Hoffentlich ist sie laut genug, dass Jonas 7 es hört und versteht, und leise genug, dass in der Nachbarwohnung nichts vernommen werden kann.

Jetzt müsste das Tape zu Ende sein. Jetzt müsste Jonas 7 ihm die Tür öffnen.

Jonas wartet.

Hat Jonas 7 nicht verstanden, worum es geht?

Weggehen. Die ganze Sache abbrechen. Es ist doch sowieso Wahnsinn.

Die Tür wird geöffnet, gerade so weit, dass er in die Wohnung schlüpfen kann. Er schließt leise die Tür hinter sich.

Da steht sein Ebenbild. Mit dem Rücken an der Wand steht der andere da, die Arme hängen herunter, die Nasenflügel beben.

Jonas schaut ihm in die Augen, nein, auf die

Augen, die grotesk echt wirken, sogar die Pupillen bewegen sich in unregelmäßigen Abständen, aber sie blicken an Jonas vorbei.

»Hallo«, sagt Jonas.

Der andere antwortet nicht, sondern geht ins Wohnzimmer und setzt sich hin. Jonas setzt sich neben ihn.

Sie schweigen.

»Du willst mir also ein Auge zurückgeben, Mensch Jonas?«

Einen Moment ist Jonas durch die Anrede verwirrt. Doch dann beginnt er leise und hastig zu erklären: »Wie ich dir schon auf dem Tape erzählt habe, wird Professor Jaffle die Retransplantation vornehmen. Die Chancen, dass das Auge bei dir wieder anwächst, sind gut, weil die Operation noch nicht so lange her ist. Ich habe dafür gesorgt, dass in der Öffentlichkeit bekannt wird, ich müsste mir ein Auge wieder herausoperieren lassen, weil sich eine resistente Entzündung gebildet hätte. Wenn du dann mit meiner Genkarte nach Tibet fliegst, werden sie an der Grenze keine Zweifel an deiner Identität als Jonas Helcken haben. Wir werden beide ein sehendes Auge haben, beide das rechte.«

»Du schuldest mir aber zwei Augen, Mensch Jonas!«

Jonas zuckt zusammen. Das kann doch wohl nicht wahr sein! Er begibt sich nicht nur in Gefahr, um diesen Duplik zu retten, er ist sogar bereit, ihm ein Auge zu opfern, und der . . .!

Aber Jonas 7 spricht schon weiter: »Ich schenke dir ein Auge. Behalte es. Ich wünsche niemandem, in Finsternis leben zu müssen. Und jetzt lass uns so verfahren, wie du es vorgeschlagen hast.«

Jonas fröstelt. Eine Eiseskälte geht von diesem Mann aus, der mit unbeweglicher Miene spricht.

Was hat er erwartet? Dankbarkeit? Bruderliebe?

Er hat keine Zeit, sich über seine Gefühle klar zu werden. »Gehen wir«, sagt er und nimmt seinen Duplik am Arm. Er horcht kurz an der Tür, dann fahren sie hinunter und gelangen mit dem »Wäsche-Service«-Lieferwagen zur Klinik.

Jonas schleust den Blinden durch den Zubringereingang. Bereits im Keller werden sie von Professor Jaffle und seiner Tochter Janina erwartet.

»Es hat geklappt, wie ich sehe. Herzlich willkommen bei uns, Herr Jonas 7. Janina wird Sie auf Ihr Zimmer bringen und ich werde Sie anschließend gleich untersuchen. Herr Helcken geht mit mir. Wenn alles in Ordnung ist, werde ich Sie beide gleich morgen operieren.«

Jonas steigt mit Professor Jaffle im ersten

Stock aus. Janina fährt mit dem Duplik in ein Zimmer unter dem Dach.

In seinem Zimmer angekommen, legt sich Jonas auf das hellgrün bezogene Bett und schließt die Augen.

Ob Ilka wieder zurück in Bernds Wohnung ist? Wie lange wird sie in dem Restaurant auf ihn warten? Was macht sie, wenn sie entdeckt, dass die Wohnung leer ist. Ahnt sie, wer dahintersteckt?

Morgen wird er nur noch ein Auge haben. Und wofür? Um sich von seinen Schuldgefühlen loszukaufen? Um seine Selbstlosigkeit zu bewundern? Oder tut er es wirklich für diesen abweisenden Mann, für den er offenbar nichts weiter als ein Dieb ist. Ein Augendieb.

Aber hat Jonas 7 nicht eigentlich recht? Welch ein Mut, ihm so gegenüberzutreten!

Er könnte jetzt noch Nein sagen. Die ganze Aktion abblasen. Aber das wird er nicht tun. Jonas 7 hat Haltung und Würde gezeigt. Das wird er auch.

Das Licht

Ich sehe!

Was ich sehe – einen Schrank, eine Tür, ein Infusionsgerät, einen Blumenstrauß, meine Hände –, ist unwichtig. Wie ich sehe – das retransplantierte Auge hat vierzig Prozent seiner Sehschärfe verloren, zum Lesen brauche ich eine Lupe –, ist unwichtig. Ich sehe!

Nur das zählt. Ich könnte auch sagen: Ich lebe. Für mich ist es fast dasselbe.

Professor Jaffle sagt, viele Blinde führen ein befriedigendes und erfülltes Leben. Am einfachsten haben es allerdings diejenigen, die blind geboren sind. Wer gesehen hat, braucht lange, um den Verlust zu verschmerzen. Nicht umsonst ist Finsternis eine Metapher für Tod und das Licht symbolisiert das Leben.

Für mich *ist* das Licht das Leben. Ich *bin* neu geboren.

Gestern habe ich ihn gesehen. Der mich getötet hat. Der mir das neue Leben geschenkt hat. Den Menschen Jonas. Er setzte sich zu mir aufs Bett. Wir haben uns angesehen mit unseren rechten Augen. Er fing an zu zittern. Ich habe meinen Arm um ihn gelegt und meinen Kopf an seinen Rücken.

Als er sich beruhigt hatte, löste er sich von mir, sah mich wieder an und sagte: »Bruder«.

Für mich bedeutet dieses Wort nichts. Aber wenn ich Ilkas Erklärungen richtig im Gedächtnis habe, ist ein Bruder für einen Menschen so etwas Ähnliches wie für einen Duplik die Mitglieder seines Kleeblatts. Ich wusste nicht, was ich antworten sollte.

Es war so merkwürdig, ihn anzusehen, ein aus dem Spiegel herausgetretenes Bild. Ich hasste ihn nicht mehr. Aber ich liebte ihn auch nicht. Er tat mir leid.

Da ich nichts sagte, ergriff er meine Hand.

»Unsere Lebenswege haben sich gekreuzt, aber in wenigen Tagen werden sie sich wieder trennen. Ich habe heute Vormittag zwei Reporter empfangen. Meine Einäugigkeit ist damit öffentlich.

Außerdem habe ich erzählt, dass ich zum Erholungsurlaub nach Kalkutta fliegen werde. Deiner Reise nach Tibet steht nichts mehr im Wege, sobald du dich von der Operation erholt hast. Du wirst dich in Kalkutta in einem kleinen Hotel einmieten, in dem sonst nur Asiaten verkehren. Es wird dir also nicht schwerfallen, einen Voyeur auszumachen und abzuschütteln. Achte schon im Flugzeug auf die Leute! Ich glaube allerdings, dass sie dich nur bis zum Flughafen observieren werden. Langsam müssen sie ihren Verdacht, ich könnte was mit deiner Entführung zu tun haben, ja mal fallen lassen.«

Jonas kicherte, fuhr aber ernst fort: »Von Kalkutta aus musst du dich mit der Bahn nach Chengtu, von dort mit dem Flugzeug nach Lhasa und dann mit dem Bus nach Nehtang durchschlagen. Traust du dir das zu?«

»Ja. Professor Jaffle hat mir schon Stadtpläne, Landkarten, eine konvertible Geldkarte und einen Taschencomp mit den wichtigsten Verkehrsverbindungen besorgt.«

»Na ja, auf dem Kontinent kann man sich nicht darauf verlassen, dass irgendein Fahrplan eingehalten wird. Diese Pläne sind nicht den Chip wert, auf dem sie gespeichert sind.«

»Ich werde schon zurechtkommen. Wo ist Ilka jetzt?«

»Ich nehme an, sie hält sich weiter in Bernds Wohnung versteckt. Hast du dich gut mit ihr verstanden?«

»Gut verstanden? Ich weiß nicht. Sie war eine Stimme, die viel auf mich eingeredet hat. Ich sollte mit ihr gemeinsam vor die Kamera treten. Ich sollte nicht nur an mich denken, sondern für die Freiheit aller Dupliks kämpfen. Aber – ich wollte nicht blind ins offene Messer rennen.«

»Das verstehe ich vollkommen.«

Ich war sicher, dass er meinen letzten Satz nicht so verstanden hatte, wie ich ihn meinte, aber das war gut so.

»Du brauchst dir keine Sorgen mehr zu machen. In Tibet bist du in Sicherheit. Dein Flug ist schon gebucht. Nur noch drei Tage.

Nur an eins musst du bitte denken: Gleich wenn du in Kalkutta angekommen bist, schickst du mir meine Genkarte zurück. Wenn ich ohne sie bei einer Kontrolle erwischt werde, verhackstücken sie mich noch als meinen eigenen Duplik.«

Jonas' Lachen wirkte unecht auf mich. Ich beruhigte ihn: »Ich gelte offiziell doch immer noch als blind. Deine Einäugigkeit müsste dich also als den Menschen Jonas Helcken ausweisen. Aber natürlich werde ich die Genkarte zurückschicken. Sicher ist sicher.«

Er hat mich dann noch ausgefragt über mein Leben im Hort, was ich empfunden habe, als man mir die Augen wegnahm, ob ich wirklich an den Fraß geglaubt hätte. Ich habe mich bemüht, ihm auf alles eine ehrliche Antwort zu geben. Schließlich waren wir beide erschöpft und er verließ mich. Mir schien, dass er glücklich war.

Jetzt stehe ich am Fenster und schaue auf den Klinikpark. Dieses Grün! Unfassbar! Ich kann mich nicht daran sattsehen.

Drei Tage noch. Tibet. Er hat mir Fotos gezeigt. Mir aus einem Buch vorgelesen. Mir Medikamente gegen die dünne Luft gegeben. Dort zu leben . . .!

Janina hat mir das Essen gebracht. Sie lächelt, als ich das Fleisch zur Seite schiebe. Ich bin immer ganz verwirrt, wenn sie lächelt. Ihre grünen Augen leuchten dann, sie kräuselt die Nase und manchmal fährt ihre Zunge spielerisch über ihre Lippen. Sie ist die einzige Frau, die ich bisher außerhalb des Hortes gesehen habe; und sie ist so ganz anders als unsere Hortnerinnen. Sie trägt keinen Kittel, sondern eine enge Hose und eine Art Hemd, Kleidungsstücke, wie auch wir Dupliks sie anhaben. Auch ihr Gesicht ist anders – irgendwie weicher, lebendiger . . . mir fehlen die Worte. Wenn sie mit mir spricht, schaut sie mich fast zärtlich an. Ein Blick, der mich an Dada Mirdal erinnert.

Sie hat mir Zeitschriften gebracht, in denen über mich geschrieben worden ist. Das hat mich gar nicht so interessiert, denn vieles hatte sie mir schon vorgelesen. Aber die Fotos! In einer Zeitschrift war eine Frau abgebildet – ohne Kleidung! Jetzt weiß ich, dass die Breite ihrer Brust durch zwei halbkugelartige Gebilde zustande kommt, an deren Kuppeln stark vergrößerte Brustwarzen sitzen. Und wo bei uns der Penis ist, haben sie nur Haare.

»Womit pinkelt ihr Frauen?«, habe ich Janina gefragt und sie hat zu einer langen, völlig unverständlichen Erklärung angesetzt.

»Regt sich bei dir denn nichts, wenn du das Foto anguckst?«, hat Janina gefragt.

Ich wusste nicht, was ich antworten sollte. Ja,

aber was ist das? Ein seltsames Gefühl ... so ähnlich wie vor Hannes' Ankunft ... und doch wieder anders.

Ich bin einmal nachts aufgewacht und mein Bett war feucht. Zuerst dachte ich, ich hätte ins Bett gepinkelt. Aber es war ein klebriges, durchsichtiges Zeug. Aus Ilkas Vorwarnungen wusste ich: Sperma!

Meine Hormonproduktion ist also in Gang gekommen, weil ich keine Spritzen mehr dagegen bekomme. Liegt es vielleicht daran, dass ich Janina so anders wahrnehme als die Frauen im Hort?

Janina hat mir auch andere Bilder gezeigt ... Fotos aus Afrika.

Dort gibt es sehr seltsame Menschen. Manche haben eine fast schwarze Haut. Und einer war ganz behaart.

»Das ist doch ein Affe!«, hat Janina gelacht.

Ich werde noch viel lernen müssen.

Sie hat auch gesagt: »Immer wieder hat es in der Geschichte Menschen gegeben, die von den anderen zu Nichtmenschen erklärt wurden. Für die alten Griechen waren alle außer ihnen Barbaren und Barbar heißt: Nichtmensch. Die Weißen, das sind alle Menschen, die so aussehen wie wir, haben dann alle Schwarzen für Nichtmenschen gehalten. Sie haben Millionen Schwarze ermordet und die restlichen als Sklaven, als Arbeitstiere gehalten. Heute gilt das als barbarisch. Aber jetzt seid ihr Dupliks die Nichtmenschen.«

»Und in Afrika – da leben also die Schwarzen und die Griechen?«

»Ah ... das mit den Griechen ist nicht mehr so aktuell.«

Und wieder hat sie gelacht und mein Herz ganz wund gemacht. Genauso fühlt es sich an, wenn ich an mein Kleeblatt denke, an Tim, Jan und Martin und an den kleinen Hannes.

Ob Hannes schon laufen kann?

Ob sie im Hort irgendetwas von den Ereignissen mitgekriegt haben? Frau Dr. Hellmann ist weg. Aber sie werden keine Ahnung haben, warum. Was haben die Frauen ihnen über mich erzählt? Sicher, dass ich gestorben bin. Aber wie haben sie erklärt, dass es keine Abschiedszeremonie gegeben hat? Oder hat es sie gegeben? Vor einem leeren Sarg? Sicher trauert mein Kleeblatt noch um mich. Ach, ihr Lieben. Wenn ihr wüsstet! Aber ich vergesse euch nicht. Solange ich lebe, vergesse ich euch nicht. Vier sind eins. Für mich stimmt es. Noch drei Tage. Drei Tage noch.

Das Ende?

Jonas Helcken wandert durch das Zimmer unter dem Dach, in dem Professor Jaffle bis gestern Morgen seinen Bruder versteckt hielt.

Die nächsten zwei Wochen wird es ihm als Versteck dienen. Er stellt sich ans Fenster. Wunderschöner Ausblick auf den Park! Immerhin – sonst ist das Zimmer nicht allzu komfortabel. Kein Telefon, kein Homecomp. Aber wenigstens ein TV. Er muss Professor Jaffle bitten, ihm ein paar Bücher ausdrucken zu lassen.

Zu komisch, der Besuch von Vater gestern. Wie immer im Stress, wie immer wenig Zeit.

»Du hast es gut, mein Junge. Zwei Wochen Kalkutta. Das möchte ich auch mal.«

»Tu's doch einfach«, hat Jonas ihn provoziert, aber die übliche Antwort erhalten: unabkömmlich, wichtige Entscheidungen, wenn nicht ich, wer dann.

Er hat sich von seinem Vater bedauern lassen wegen des Verlusts seines linken Auges, hat ein paar konventionelle Sätze mit ihm gewechselt und sich von ihm eine beträchtliche Summe auf seine Geldkarte übertragen lassen. Das Geld würde er gut gebrauchen können. Die Überweisungen an das Kloster in Tibet sind jetzt seine Aufgabe.

Gestern früh der Abschied von Jonas 7.

»Mach's gut, Zyklop!«, hat er gewitzelt, um gar nicht erst eine rührselige Stimmung aufkommen zu lassen.

Aber Jonas 7 ist auf ihn zugegangen und hat ihn umarmt. Wortlos.

Zuerst hat Jonas gefürchtet, nach dem Weggang seines Bruders in eine fürchterliche Leere zu fallen. Stattdessen fühlt er sich leicht, fast beschwingt. Er hat das Richtige getan. Er hat gesiegt – auch über seine eigene Feigheit.

Wenn er hier raus ist, wird er sich um Ilka kümmern. Er wird ihr erklären, was er getan hat und warum er es getan hat. Und er wird ihr raten, sich mit ihm zusammen der Polizei zu stellen. Bei einem Prozess könnten sie sich des Medieninteresses sicher sein, sie könnten durch ihre Aussagen dazu beitragen, den Druck gegen die Duplikhaltung zu verstärken.

Vaters Beziehungen und ein paar gute Anwälte würden ein Übriges tun. Jonas fürchtet sich nicht vor einem Prozess.

Janina schreckt ihn aus seinen Gedanken auf.

»Ein Anruf für Sie von Ilka Helcken. Sie möchten in zehn Minuten Kanal 13 einschalten.«

»Meine Schwester? Ist sie noch dran?«

»Nein, sie hat gleich wieder aufgelegt.«

Woher weiß Ilka, dass er in Professor Jaffles Klinik ist? Wieso soll er Kanal 13 ...

Jonas fühlt sich wie ein Boxer, der mit erhobenen Fäusten zum Angriff bereitsteht und plötzlich aus dem Unsichtbaren einen Schlag auf den Solarplexus erhält.

Verwirrt schaltet er Kanal 13 ein. Eine dieser öden Quizsendungen. Er drückt auf die Programmankündigung: 15.30 Uhr »Heiß und aktuell«, mit Jochen Müller.

Jochen Müller? Hat Ilka sich vor die Kamera geflüchtet? Auch ohne ihren Trumpf Jonas 7?

Der Vorspann zu »Heiß und aktuell« läuft ab. Thema heute: Die Dupliks. Jochen Müller blickt sein Publikum ernst an. Jonas rutscht auf der Bettkante hin und her, während Jochen Müller in einleitenden Worten auf die Geschichte der Duplikhaltung und die aktuelle Diskussion um den entführten Jonas 7 zu sprechen kommt.

Jonas ist überzeugt, gleich Ilka im TV zu sehen. Und tatsächlich – Jochen Müller dreht sich zur Seite, begrüßt Ilka und lässt sie rechts neben sich Platz nehmen.

Und dann kommt noch jemand und setzt sich links neben Jochen Müller. Jonas 7 lächelt freundlich in die Kamera. Einen Moment lang glaubt Jonas Helcken, ohnmächtig zu werden. Doch dann überflutet ihn ein so heftiger Zorn, dass er wieder hellwach ist.

Verrat! Da sitzt dieser Duplik ... mit seinem Auge! Dem Auge, das er – Jonas Helcken – geopfert hat, um seinen Bruder zu retten. Da sitzt er – lächelnd –, als ob nicht die Schlächter schon auf ihn warteten.

Warum nur hat er sich freiwillig zu Ilkas Instrument machen lassen? Begreift er denn nicht . . .?

Doch als Jonas Helcken hört, wie sein Bruder beginnt, in einfachen Worten sein Leben im Hort zu schildern, wie er von seiner tiefen Verbundenheit zu seinem Kleeblatt – Jan, Tim und Martin – erzählt, wie er zart seine Liebe zu Hannes andeutet, da versteht er ihn auf einmal so genau, als ob er selbst dort sitzen würde.

Sein Bruder kann nicht fliehen. Nicht all das zurücklassen, was sein Leben ausmachte. Nicht seine Mitdupliks ihrem Schicksal überlassen. Aber er wollte nicht blind ins offene Messer laufen. So hatte er es gesagt. Sehend läuft er hinein. Jonas stöhnt auf. Den Schlächtern ihre Messer entreißen. Sie müssen es schaffen. Sie – die Menschen. Oder sie sind keine.

Worterklärungen

Adrenalinstoß: durch Erregung ausgelöste Hormonausschüttung, die zu Pulsbeschleunigung, Blutdruckerhöhung, Schweißausbrüchen usw. führt.

Alzheimerkrankheit: meist im Alter von 50–60 Jahren auftretende Krankheit, die zu Schüttelanfällen und geistiger Verwirrung bis hin zum Schwachsinn führt.

amputieren: einen Körperteil (z. B. Arm, Bein) durch eine Operation entfernen.

anencephale Corpora: schwere Missbildung, bei der die Schädeldecke und ausgedehnte Teile des Gehirns fehlen; sog. Froschkopf; nicht lebensfähig.

anonym: ungenannt, namenlos.

artspezifische Umgebung: der einer Tier- oder Pflanzenart angemessene Lebensraum.

asozial: gesellschaftsschädigend.

autogenes Training: Methode der Selbstentspannung.

Bardo Thödol: tibetisches Totenbuch, das die Stationen beschreibt, die der Geist eines Toten auf dem Weg zwischen altem und neuem Leben (Glaube an die Wiedergeburt) durchlaufen muss.

Bodhisattva: nach buddhistischer Lehre Menschen, die die höchste Stufe der Erkenntnis erreicht haben, aus Mitleid mit den anderen Menschen aber darauf verzichten, ins Nirwana (das ewige Nichts) einzugehen, und stattdessen den anderen auf ihrem Weg dorthin helfen.

Chromosomen: Bestandteile des Zellkerns und Träger der Erbmasse. Die menschliche Zelle enthält 23 Chromosomenpaare.

Cri-du-chat: Krankheit, die durch die Schädigung des Chromosoms Nr. 5 auftritt. Hauptmerkmale: Schwachsinn und katzenartiges Schreien.

Depression (depressiv): krankhafte Niedergeschlagenheit, traurige Stimmungslage. Neigung zu Selbstanklagen, Angstzuständen, Selbsttötungen.

determiniert: festgelegt; abhängig von äußeren Umständen.

didaktisch: lehrhaft; für Unterrichtszwecke aufbereitet.

dilettantisch: nicht fachmännisch.

Downsyndrom: auch Mongolismus oder Trisomie 21 genannt: Krankheit, die durch ein überzähliges Chromosom ausgelöst wird. Hauptmerkmale: schräge Augenstellung, Störungen der Bewegungen, des Zentralnervensystems und des Kreislaufs; unterschiedliche Grade geistiger Behinderung.

Eispende: Einer Frau wird ein Ei entnommen, mit dem Samen (Sperma) eines Mannes befruchtet und einer anderen Frau eingepflanzt, die das so entstandene Kind austrägt, aber nicht seine genetische (erbliche) Mutter ist.

Embryo: Bezeichnung für das werdende Kind während der ersten drei Monate der Schwangerschaft (Zeit der Organentwicklung).

Embryotransfer: Einspülung eines in der Retorte gezeugten Embryos durch einen Plastikschlauch in die Gebärmutter einer Frau.

Ethik (ethisch): Sittenlehre; praktische Philosophie, die das Wollen und Handeln des Menschen unter moralischen Gesichtspunkten zu beurteilen versucht.

Euphorie: überschwängliche Freude.

existenziell: wesenhaft; von grundlegender Bedeutung.

Feature: aktuelle, besonders fürs Radio oder Fernsehen aufgemachte Dokumentarsendung, die aus Berichten, Meinungen und Gesprächen zusammengesetzt ist.

Fertilisation: Befruchtung.

Fossil: versteinerter Rest von Tieren oder Pflanzen aus der erdgeschichtlichen Vergangenheit; hier: Bezeichnung für jemanden, der in der Vergangenheit lebt und sich gegen Neuerungen sträubt.

Gen: in den Chromosomen hintereinander aufgereihte Informationseinheiten, durch die Erbmerkmale ausgeprägt werden.

Genetik: Vererbungslehre.
genetisch: erblich bedingt.
Gendefekt: Fehler in den Erbanlagen; Ursache von Erbkrankheiten.
genidentisch: gleiche Erbanlagen (z. B. bei eineiigen Zwillingen).
Genom: Gesamtheit der Erbfaktoren (Gene).
Genom-Analyse: Untersuchung der Erbfaktoren.
Herpes: durch Viren hervorgerufene Krankheiten verschiedener Art; hier: Herpes infantilis: fantasierte, heute nicht vorhandene Krankheit, entstanden aus einer neuen Art des Herpesvirus.
Identität (identisch): vollkommene Gleichheit; wesensgleich.
Imitat: Nachahmung.
Immunsystem: Abwehrsystem des Körpers, z. B. zur Bekämpfung von Viren und Bakterien. Bei der Organtransplantation reagiert das Immunsystem auf das körperfremde Organ und versucht es abzustoßen.
Indikationsmodell: heute: Katalog von Gründen, bei denen eine Schwangerschaft abgebrochen werden darf; hier: Katalog von Gründen, bei denen ein Todesautomat zur Verfügung gestellt werden darf.
Infizierung: Ansteckung.
Infusionsgerät: Apparat, mit dem tropfenweise Flüssigkeiten (Blut, Kochsalzlösung, Medika-

mente) in den Körper eingeführt werden. Meistens mittels einer Kanüle (Spritze) in eine Vene (Blutgefäß).

Kanüle: Hohlnadel an der Spritze, durch die Flüssigkeiten in den Körper geleitet werden.

Keimbahn: die von Generation zu Generation weitergegebenen Erbanlagen.

Klon, klonen: künstliche Erzeugung von Lebewesen durch ungeschlechtliche Vermehrung einer Ausgangszelle. Das so erzeugte Wesen hat die gleichen Erbanlagen wie derjenige, von dem die Zelle stammt, ist also eine exakte Kopie.

kognitiv: das Wahrnehmen, Denken und Erkennen betreffend; erkenntnismäßig.

Koma: tiefe, lang dauernde Bewusstlosigkeit.

Kompromiss: Übereinkunft, Ausgleich.

konservativ: bewahrend; am Alten festhaltend.

konspirativ: verschwörerisch.

konvertibel: frei austauschbar (hier: in eine andere Währung).

kryokonserviert: bei -196 °C in flüssigem Stickstoff tiefgefroren.

Lama: religiöser Lehrer, geistiger Führer. Lamaismus: tibetische Form des Buddhismus.

Leihmutter: Frau, die ein Kind vereinbarungsgemäß austrägt und zur Welt bringt, um es nach der Geburt an die Auftraggeber zu übergeben.

Die Schwangerschaft wird entweder durch künstliche Befruchtung mit dem Samen des

Auftraggebers herbeigeführt (unechte Leihmutter, Ersatzmutter) oder durch die Übertragung eines fremden Embryos (echte Leihmutter, Tragemutter).

Lippen-Kiefer-Gaumenspalte: fehlendes Zusammenwachsen der Gaumen und Kiefer bildenden Knochen während der Schwangerschaft, sodass eine ständige Verbindung zwischen Mund- und Nasenhöhle besteht. Wird heute durch mehrere Operationen, beginnend in den ersten sechs Lebenstagen, behoben.

Meditation: sinnende Betrachtung, religiöse Versenkung.

Metapher: Sinnbild.

Mikrochirurgie: Operation unter Zuhilfenahme eines Mikroskops.

Modulation: natürliche Schwingungen der menschlichen Stimme.

multiple Sklerose: Nervenkrankheit, die in Schüben verläuft und zwischen dem 20. und 40. Lebensjahr auftritt.

Hauptmerkmale: Sehstörungen, Steifheit, Krämpfe, Lähmungen. Nach neueren Erkenntnissen gilt eine erbliche Belastung als wahrscheinlich; als Auslöser kommen Allergien und Viren in Betracht.

Muskeldystrophie, Typ Duchenne: Krankheit, die von der Mutter nur an männliche Nachkommen vererbt wird. Die Krankheit setzt in der frühen Kindheit ein und führt zu fortschreitendem Muskelschwund.

Mutation: sprunghafte Änderung im Erbgut, die bestehen bleibt und auf alle Nachkommen übertragen wird. Mutationen sind einerseits Motor der Entwicklungsgeschichte einer Art, da ohne sie eine Höherentwicklung unmöglich wäre; andererseits führen die weitaus meisten Mutationen jedoch zu Nachteilen für das betroffene Wesen, bis hin zur Lebensunfähigkeit (bekannteste durch Mutation ausgelöste Krankheit: Downsyndrom).

obligatorisch: verpflichtend.

Om mani padme hum: »Das Kleinod liegt im Lotus.« Eine Gebetsformel, die in den tibetanischen Gebetsmühlen enthalten ist.

pathetisch: salbungsvoll, übertrieben feierlich.

Phantom: Geist, Trugbild.

Pharmaindustrie: Industrie, die Medikamente herstellt.

physiologische Kochsalzlösung: eine 0,9-prozentige Kochsalzlösung, die für kurze Zeit als Blutersatz verwendbar ist.

postindustriell: Zeit nach der Industriegesellschaft.

Post-partum-Depression: Durch Umstellung im Hormonhaushalt einer Frau ausgelöste, krankhafte Traurigkeit nach der Geburt eines Kindes.

potenziell: möglich.

rekonstruieren: den Ablauf eines früheren Ereignisses in den Einzelheiten nachvollziehen.

Reproduktionstechnologie: Methoden der künstlichen Fortpflanzung (Retortenbabys, Embryotransfer usw.).

resistent: widerstandsfähige Bakterien: Bakterien, die unempfindlich geworden sind, z. B. gegen Antibiotika.

restriktiv: einschränkend.

Solarplexus: Geflecht im Oberbauch aus Fasern des vegetativen (unbewussten) Nervensystems, von dem aus alle Eingeweide der oberen Bauchhöhle mit Nerven versorgt werden.

Sozialisation: Prozess der Einordnung des Einzelnen in die Gesellschaft.

Spina bifida: Krankheit, die durch Missbildungen im unteren Bereich der Wirbelsäule hervorgerufen wird. Häufigste Folgen: Lähmung der Beine und des Unterleibs.

Sterilisation: 1) Methode, um Krankheitskeime abzutöten;
2) Unfruchtbarmachung: Durchtrennung der Eileiter bei der Frau oder der Samenleiter beim Mann.

Suizid: Selbstmord.

Synapse: Kontaktstelle zwischen Nervenfortsätzen (z. B. im Gehirn).

taktile Stimulation: Anregung für die Entwicklung des Tastsinns, z. B. durch Berühren der Haut.

Telepathie: Gedanken-, Gefühlsübertragung.

Transfusion: Übertragung von Körperflüssigkeiten, z. B. von Blut.

transgene Tiere: künstlich im Labor erzeugte Tiere, die aus verschiedenen Arten zusammengesetzt werden, z. B. die Schiege (aus Schaf und Ziege).

Transmitter-Viren: manipulierte Viren, die artfremdes Erbmaterial in eine Zelle einschleusen können.

Transplantation: Übertragung, Verpflanzung von Zellen, Geweben oder Organen.

Uterus: Gebärmutter.

Verhaltenstherapie: Behandlungsmethode, die versucht, durch ein System von Belohnungen und Strafen ein bestimmtes Verhalten hervorzurufen bzw. zu unterdrücken.

visualisieren: sich bildlich vorstellen.

Voyeur: heimlicher Beobachter.